琉歌散歩

島袋盛敏 著
解題 仲程昌徳

9月12 月曜日 沖タイ朝刊（8）

（文）（化）

琉歌散歩②

島袋盛敏

…私の歩いた道…（一）

「琉歌散歩」を[illegible]するにあたり、まずはじめに自己紹介をしたいと思います。

私は明治二十三年（一八九〇）十一月、首里に生まれました。家が頑固党であったため、私は小学校三年まで、髪を結っていました。いわゆるカタカシラというものです。それで髪を結うときはいつも逃げ回って大騒ぎを演じましたが、つかまえられると、くしの背でコツンと頭を打たれながら「あがりあかがれば墨習ひが行きゆん、かしら結てたぼうれわ親がなし」という歌があるのは知らぬか、あんまりマクになると、ゆるしてはおかんと説教されました。

その時は大変恨めしい痛い歌だと思いましたが、いまは思い出して、一種のなつかしさをおぼえます。当時のわがカタカシラ姿を写真にとっておけばよかったと後悔しています。どんなにこっけいでしかしおもしろく珍しいものであったでしょう。

あがりあかがりば墨習いが行きゆん
かしら結てたぼうれわ親がなし

明治四十一年四月、師範学校に入学し、四十五年三月に卒業しました。その間お世話になった崎浜秀主先生と源河朝達先生のお二人が、いまもお元気でいらっしゃるのは私が何よりも嬉ひとするところであります。

また同期生、ときどき新聞を賑わしている者には、元の二中教師で那覇視学などもやった奥村幸福、音楽家の山内盛彬、琉歌研究家の中原幸吉、おもろ研究家の仲原善忠、植物学や言語学や民族などの研究家与世里盛春、中央大学教授の高嶺良恭などがおりますが最も変わり種は琉球新報編集局長をしたり、真和志村長をしたり、県会議員をしたり、あらゆる方面に手腕を振った真栄城守行という男です。その他新聞にはあまり顔を出さない上里朝秀という男は、成城学園の高等学校長をしています。こう並べて見ますと、私の仲間はどれもこれも皆一癖ありそうな顔をしています。

第1回連載記事
沖縄タイムス 1960年9月12日

本書は一九六〇年九月一二日より一二月一三日まで九〇回に渡って沖縄タイムスに連載された論稿を元としている。

本書刊行に当っては、誤字脱字をチェックし、数字の表記を改め、かつ、仲程昌徳先生の解説を巻頭に附記した。

又、一部表記に疑問のあるものがあったが、これについては『増補 琉歌大観』に準拠して表記を統一した。

本書刊行の責任は全て榕樹書林が負うものである。

琉歌散歩　目次

触発する琉歌——島袋盛敏の「琉歌散歩」

仲程　昌徳

島袋盛敏は、一九五六年九月二四日から一二月二八日まで『琉球新報』に「新遺老説伝　沖縄昔ばなし」を四〇回に渡って連載していた。そして、四年後の一九六〇年には、九月一二日から一二月一三日まで『沖縄タイムス』に、「琉歌散歩」を九〇回連載している。前者は、島袋が見聞きした出来事を書き込んでいったものであり、後者は、「特色のある」琉歌をとりあげて紹介したものである。両者は、島袋の学識の深さだけでなく、沖縄を離れて暮らしながら、沖縄のことを忘れることがなかったことをよく示すものとなっていた。

島袋が沖縄を離れたのは、一九三一年三月。一九五〇年四月『おきなわ』創刊号に掲載された「首里を思う」に、島袋は「一度帰って、故人つつがなきやと、手を握り合って見たいと思うが、それはいつのことやらわからない。／

教員生活をして、転々と巡った土地、金武、宜野湾、北谷、伊波、浦添などは、どう変わったか。／それらの土地で、交わった人々、教えた腕白者ども、消息も絶え果て、音沙汰も聞かないが、如何なる有様になっているであろうか。／『宵も暁もなれし面影の、立たぬ日やないさめ塩屋の煙』である。／第二女学校にいた時、島袋全発校長が、時々私に向かつて、『首里方のサムレー、一杯飲みに行こうか』／といっていたが、あの頃のことを思うと、恋しく懐かしく、胸があつくなるのを覚える。『頭をあげて山月を望み、頭を垂れて故郷を思う』の句が胸に去来する」（／は改行箇所。以下同）と書いていた。

同様の文章は、一九三八年三月号『月刊琉球』第二巻第三号に掲載された「東京雑記（三）」にも見られた。

島袋が、師範学校を卒業したのは、一九一二年三月。金武校を振り出しに、宜野湾、北玉、伊波、浦添校へと転じ、一九二〇年三月、県立図書館に移る。「転任物語」（《沖縄教育》一九三三年九月号）によると「図書館に入ってから後は、実にのんびりとした生活をすることが出来た。住む天地が急に変り、今更ら私の歩んで、来た生活が、如何に堅苦しいものであったかゞ、染々思はれた。／遠くから眺めて居た伊波先生に毎日接して、愉快な

るおはなしを聞く事が出来たのは、無上の幸福であった。／一年の中で、二三回しか行けなかった比嘉春潮氏の処に年中殆ど入り浸ることが出来たのも嬉しいことであった」とある。島袋は、県立図書館に移るとともに、二高女に出向し、のち、専任となり、出京するまでそこで「あしかけ十一年」を過ごしている。

一九四一年には「をちこち散歩記」（『月刊文化沖縄』三月号）に、「東京に出てから、今年で満一〇年になる。住めば都でもう此処が故郷のやうな心地がする。／最初のうちは、ホームシックと云ふのか妙な故郷なつかしさが一杯で、絶えず心が沖縄にひかれて居たが、いつの間にか望郷の念も薄らいで、此頃では故郷の新聞が来なくなっても、それ程気にもならぬやうになった」と書いていた。東京に一〇年も住めば、沖縄がなつかしいといったこともだんだんと薄れていくのだろうが、戦後、沖縄戦で、生まれ育った首里の街をはじめ、沖縄はすべてが烏有に帰したということを聞くにおよんで、平静ではいられなくなってしまう。そして「それほど気にもならぬやうに」なっていた沖縄のことが、再び前面に躍りだしてくるのである。

島袋の生涯は、大きく、上京前と上京後とに分けられる。そして上京前を教員時代と図書館時代に、上京後を成城学園時代と退園以後の時代とに分けてみることができる。それぞれの時期に、島袋が執筆した主な雑誌をあげておくと、次のようになる。

上京前………『沖縄教育』『図書館報』
上京後………『沖縄教育』『月刊琉球』『月刊文化沖縄』
戦　後………『沖縄文化』『おきなわ』『月刊琉球文学』

上京前にはその他『郷土雑誌沖縄』、成城学園時代には『島』『古典研究』などに、そして戦後は、おもに郷土の新聞『琉球新報』『沖縄タイムス』に文章を寄せているが、島袋の戦前期の業績ということになると、『遺老説伝』の訳ということになるであろう。

『遺老説伝』が刊行されたのは、一九三五年二月。島袋は、「訳者の言葉」で「柳田先生のまるで図書館の様な書斎で会合があった時、比嘉春潮さんが先生から遺老説伝を借り出して、之を日本文に訳して見ないかと云ひ出されたのが、此本の世に出るきっかけとなった」と書いていた。比嘉は、訳を勧めただけでなく、柳田国男の本に欠けている部分を伊波普猷の本で埋めてくれたり、訳文のおかしいところを直してくれたり、その他「分布表や訳語を付けたり」するといった世話をしていた。

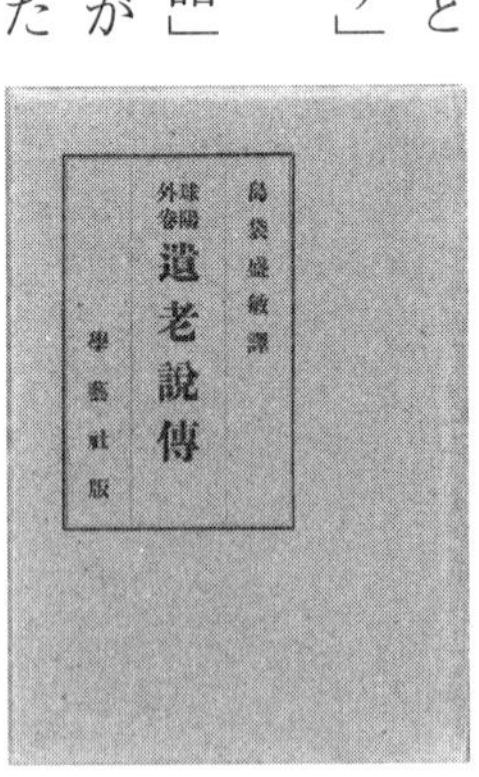

『遺老説伝』は、「我々の祖先の語り伝へた面白い物語」を集めたものであり、当初、柳田の慫慂があって、伊波がその翻訳を決意し、出版の予告までしながらできなかった

（伊波普猷「序」）のを、島袋が、比嘉春潮の勧めと協力によって実現させたものである。

島袋に『遺老説伝』の訳を勧め、協力を惜しまなかった比嘉が上京したのは一九二三年三月。四月、改造社に入社。一九三二年七月、「南島談話会」復活第一回の会合に出席。同人に名を連ね、三三年には『島』を創刊。三四年一月、柳田国男が木曜会を結成、月二回柳田宅で催される会合に当初から参加している。

島袋が、「遠くから眺めていた」伊波が館長をつとめる図書館に職を得たのは比嘉春潮の推薦によるし、「南島談話会」に名を連ねることができたのも、比嘉の手引きがあったことによるであろう。

島袋が、比嘉を尊敬し、たびたび訪問していたことはわかるが、比嘉が島袋に『遺老説伝』の訳といった大きな仕事を勧めたのは、比嘉の晴眼なくしてはかなわなかったことであろう。上京するまで、島袋にはこれといった沖縄に関する研究があったようにはみえない。島袋がやったのは教員生活のあれこれを『沖縄教育』に発表していたことと、『図書館報』に、沖縄と関係のない図書の評をしたり、戯曲や詩歌を発表するといったことで、それは上京後も変りはなかった。それにも関わらず、比嘉は島袋に白羽の矢をたてたのである。

比嘉と島袋は、比嘉の「師範時代、付属に教生に行って教えた間柄であった。私は卒業して南風原で教師になり、新聞記者に転身し、彼は師範に進み、教師になり、また、伊波普猷先生の下で沖縄県立図書館の司書になってからもずっと親しく付き合った仲だった」（「島袋盛敏君を悼む」）というように先輩後輩の間柄であったこともあり、何かにつけ島袋に目を付けていたのだろう。

島袋に転機が訪れたのは、たぶん『遺老説伝』の仕事による。教育に熱心で、教員生活のあれこれといった随想を書いていた島袋は、その仕事を契機に、沖縄研究への道を歩き始めたのではないかと思える。

島袋が、沖縄研究へ向かっていく様子をよく示す一つが一九三七年二月号、三月号『古典研究』に発表した「やまと歌と琉歌」及び「やまと歌と琉歌（続）」である。島袋はそこで、琉歌の由来および特徴を簡単に紹介し、祝賀の歌をはじめ、傑作の多い恋歌、哀傷歌、そして祝賀の歌を紹介している。次は、その一例である。

こひの小舟に二人乗てきやならはも風のまゝどやゆる（仲風）（読人しらず）

恋の小舟に二人が乗って、どうなっても構はない、風のまゝに吹き流されて行かう、と言ふ歌で、命も何も惜しくないと言ふ情熱である。

万葉には、

大舟を漕ぎの進みに岩にふり覆らば覆れ妹によりてば（土師水通）

小舟が大舟になり、風が岩となって居るが、要するに、妹（恋人）と二人ならどうなっても構はぬと言ふ情は同様である。小舟と言へば危険を思はせ、大舟と言へば安全を思はせた様だが、命を的にする点は聊かの相違もない。

島袋は、まず琉歌を先に置き、次に同内容になる和歌を引いてくるといったかたちで、琉歌の紹介をしていた。そしてそれは、琉歌を論じていく方法の主流となっていくかたちとなるもので、島袋の「やまと歌と琉歌」は、その典型的なひとつであった。「やまと歌と琉歌」は、琉球文学研究への第一歩を印したものであったといえるが、しかし、島袋は、相変わらず、教員時代に関する雑文を書いていて、戦後に至るまで目立った研究の発表はみあたらない。

島袋に「七星会回想記」（『おきなわ』一九五五年五月第四五号）というのがある。彼はそこで「その昔、比嘉春潮、仲吉良光、比屋根安定、八幡一郎、石川正通、金城朝永、島袋盛敏の七人が、七星会というものを作り、一ケ月に一回相会していた。／目的は、何か研究したものを発表しそれを聞くというものであったが、いつの間にか研究はそっちのけにして、雑談会になってしまった。その雑談が極めて面白いので、誰も何の不平も不満もないようであった」と書いていた。島袋のいう「その昔」がいつだったかについては、金城芳子の『なはをんな一代記』に「昭和一五年（一九四〇）ごろには、同郷の比嘉春潮、仲吉良光、比屋根安定、八幡一郎、石川正通、島袋盛敏さんと七人で沖縄のことを語り合う会を作って各家庭まわり持ちで集まっていた」というのがあって、一九四〇年ごろだったということがわかるが、そこで、所期の「研究したものを発表してそれを聞く」という意図が貫かれていたら、「やまと歌と琉歌」に類する研究を島袋はさらに押し勧めることができたのではないかと思われる。しかし、集まりは「いつの間にか研究はそっちのけにして、雑談会になってしまった」ことで、新しい研究の発表はおあずけということになってしまったのである。

島袋盛敏の戦後は、柳田国男編『沖縄文化叢説』（一九四七年一二月）に収録されている「耳学問」から始まったといっていいだろう。そこで島袋は「イチザマ」を冒頭に、九つの沖縄に伝わる話を書いていた。そして翌四八年には『沖縄文化』第二号、第三号に「昔人のことば」を発表していた。島袋が戦後いち早く、沖縄に関する研究をはじめていたことがわかるが、「耳学問」や「昔人のことば」が示しているように、沖縄のことばへの関心が、なみなみならぬものになっていたように見える。そしてそれらは、『沖縄語辞典』への助走となっていたといっていいだろう。

島袋が、辞典編纂の仕事にとりかかったのは、一九四七年であった。そのことについて『沖縄語辞典』の「編集経過の概要」は、次のように記している。

> たまたま国立国語研究所が一九四八年に創設された際、評議員の柳田国男が研究所の委託研究の対象として島袋氏の研究を推薦し、研究所は、昭和二三年度・二四年度の両年度にわたって島袋盛敏氏に研究を委託した。島袋氏は昭和二五年度には研究所に非常勤職員として勤務して、昭和二六年（一九五一）八月に見出し語一二、〇〇〇以上、原稿用紙（四〇〇字）で一、八五六枚に及ぶ校本を完成した。

その件に関して比嘉春潮は、「島袋君が成城に来て幾年かしての頃であった。沖縄語研究の権威服部四郎氏が島袋君の家族皆が首里王府時代の沖縄の標準語であった昔ながらの首里語の完全な保持者であることを見込んで、首里語を蒐集記録することをすすめた。これは島袋君の性に合う仕事であった。島袋君は早速カードを作り、気付き次第首

里語を書き入れ、これに説明を加え、五十音順に排列して、原稿紙に清書した。それは昭和二六年の春のことであった」といい、「吾々は本書が沖縄文化の研究に大きな寄与となるべきを信じその完成を喜び、島袋君の多年の労苦に対し深い敬意と感謝を表すものである」(「島袋盛敏君とその業績」)と辞典編纂の過程とそれが完成したことへの賛辞を述べていた。

島袋の「稿本」は、沖縄文化の研究に大きく寄与するものになっただけでなく、島袋自身の研究を深めることにもなったのは、「だしゃくぎ等は工具——伊波東恩納先生を支持する」(『琉球新報』一九五三年七月三〇日~八月三日　五回連載)、「おもろに躍る人々」(『琉球新報』一九五三年九月二八日から一〇月一日　四回連載)などに表れていよう。

島袋の稿本をもとに整理しなおし、国立国語研究所が『沖縄語辞典』を刊行したのは、稿本から十数年後の一九六三年である。『沖縄語辞典』は、稿本について比嘉が指摘していた「単なる辞典ではない。寧ろ沖縄に関する事典である。沖縄文化の研究資料ともなるものである」という「辞典」ではなく「事典」であるという長所はおおかた消え、「辞典」本来の形に生まれ変わっていったが、そのことで、価値が減じたということはないし、各地域で盛んになってきた辞典編纂の拠るべき図書として、その価値は高まるばかりだといっていいだろう。

島袋盛敏が『琉球の民謡と舞踊1』を刊行したのは一九五六年三月である。それは、一九五二年一二月に刊行した雑誌『おきなわ』の「民謡集」および翌五三年五月に刊行された雑誌『おきなわ』の「組踊名作集」を基にしたものであり、『沖縄語辞典』を完成させたあと、すぐに手がけた仕事である。

島袋は、比嘉春潮の編んだ「民謡集」に触発されるとともに、「組踊」の編集に協力し「随想」を書くことが出来たのは、上京前、民謡や組踊に親しんでいたことによる。民謡に関して言えば「組合教会の初期のころは、有功さんは讃美歌のオルガンを弾いた。琉球音楽の研究会が始まると、島袋盛敏さん（図書館司書、のち『琉歌大観』を著す）が琴を、有功さんは三味線を弾く」（金城芳子『那覇をんな一代記』）といったことをしていたし、また島袋自身「私が沖縄の二高女にいた時、三中の富原守清、新崎盛珍の両

氏と共に、浦添朝顕氏を師匠として、安冨祖流の琉球音楽をけいこしたことがあった」（「あとがき」『琉球の民謡と舞踊1』）と述べているように、教員時代から琴や三味線に触れていた。島袋は「三味線は相当に弾ける。名人の域には達しないが、自ら楽しむ程度には歌える」（比嘉春潮「沖縄芸能と島袋盛敏」）とみられていた。

組踊に関して言えば、「昔は子供が生まれると、ユワキ（夜起）という行事があって、一週間の満産まで、毎晩組踊の朗読会を催したものである。／老婦人たちは、組踊を聞くのが何よりの楽しみで、われわれも方々の親類の出産祝の時、呼ばれて組踊を読まされた」（『琉球の民謡と舞踊1』）といった体験、また子供のころ「森川の子」を「シミフク」して母親を喜ばせた（「回想録（一）」『月刊文化沖縄』一九四二年三月）といったように、組踊の台本を読んで父兄に聞かせていた。組踊は、実に身近にあったのである。

小さいころから「ユウキ」に参加し、「シミフク」をやり、長じて琴を弾じ、三味線を弾いていて、沖縄の伝統文化に島袋は十分親しんでいた。「おきなわ」の「民謡集」に心を奪われたのも、「組踊名作集」の「随想」をまかされたのも当然であった。

『琉球の民謡と舞踊1』は、「民謡集」を参照し、編集しなおし、踊りの衣装について

の詳しい説明を付して刊行したものであるが、一つだけ、不思議に思われるのは、「第四篇　歌劇舞踊」に、「奥山の牡丹」「伊江島ハンドー小」「薬師堂」といった、名作とされるものが落ちていることである。

島袋は『琉球の民謡と舞踊1』のような仕事をしたことで、「琉球のユーモア文学」（『月刊琉球文学』一九六〇年、第三号～第五号）や「琉球の風刺歌」（『月刊琉球文学』一九六〇年第一一号～第一二号）といった論考を発表することが出来たのである。

島袋盛敏の才能が遺憾なく発揮されるのは、一九六〇年代に入ってからではないかと思う。島袋は、随想を得意とし、琉球語の表現に精通していたが、その両者がそれぞれに花開いたように見えるのである。

比屋根安定は「踏花共惜少年春――明治三五年冬―四三年春」（『おきなわ』一九五二年八月　第二一号）で「島袋盛敏は、彼の母方の祖母がわたしの父の姉であったから、ヤマーツチィは安谷川ビラの家から度々来た。稲福政重の文学熱には方向がなかったが、盛敏とわたしとは徳富蘆花に夢中になり、『思出の記』や「自然と人生』を暗唱した。『自然と人生』冒頭の小説「灰盤」の「勝てば官軍、敗くれば賊軍の名を負われて」云々を、二人は声を合せて誦しながら、弁財天池から城跡へと登ったりした。

しかし我々は、スージグワー、スージグワーにいる文学ウグワーに過ぎなかった」と書いていたが、少なくとも、文学に熱を上げた少年時代を過ごしていた。そしてそれは、『図書館報』に発表した戯曲や詩にその片鱗をうかがうことができるはずで、島袋には、いってみれば文学する心が宿っていたのである。

島袋のそのような資質が、六〇年代になって一方に「新遺老説伝」、他方に「琉歌散歩」を生んでいく。

「新遺老説伝」は、随想を得意としたことで生まれてきたものである。そしてそれはかつて「遺老説伝」を訳したことからヒントを得たものであった。「新遺老説伝」は、当時はともかく今では名前を聞くこともなくなった奇才、異人から当世に名をとどろかせた天才まで、縦横無尽あますことなく書き綴ったものであるが、すべてが連載にあたって書かれたものではない。

例えば末吉麦門冬についての件などがそうである。一九五五年七月『おきなわ』第一三号は「故人追憶特集」を行っているが、そこで島袋は「麦門冬を語る」として麦門冬の人となりを書いていた。

「新遺老説伝」も島袋ならではのものがあったが、何といっても島袋盛敏の名を不朽のものにしたのは『琉歌大観』（一九六四年五月刊行）である。

島袋が『琉歌大観』を編もうと思ったのは、『おきなわ』（一九五二年七月　第二〇号）の特集号「琉歌集」に啓発されてのことであった。島袋は、それを読んで「琉歌研究に乗り出す」ことになったと書いているのであるが、そのためにはさらなる「琉歌集」を編む必要があると思ったにちがいない。

『おきなわ』の特集号「琉歌集」の「琉歌概説」で、比嘉は次のように書いていた。

琉歌集なるものは、従来三味線にのせて歌ふ為めの歌集であった。今までのところ小橋川朝昇の琉球大歌集と眞境名安興、伊波普猷両氏の琉歌大観だけが、読む歌としての歌集である。前者は稿本として残ってゐるだけで、おもろ研究の先駆者田島利三郎氏もこの本を見てゐるが未完である。後者は数回刊行を企画されたが、資金関係でこれまた今日まで刊行を見ず、おまけに現在は原稿もどうなつてゐるかわからない。戦争前眞境名氏自筆の原稿は大磯の国学荘といふ古本屋の手にあつたが其後どうなつたか、また一方首里の恩河朝蕃君が原稿を整理して着々刊行の準備を進めてゐたが、沖縄があの通りの戦災で恩河君も原稿と運命をともにしてしまつた。

比嘉は、そのように琉歌集の歴史をふりかえったあとで、かつて編纂された琉歌集を探し出して刊行してもらいたいこと、また、自分で新しい歌集を編集したくてもその器ではないこと、そしてその材料もたりないとしたうえで、戦後は三味線が盛んになったことで、三味線音楽家に便利なように「節別の琉歌集をだすことに」したといい、それを三部にわけ、第一部を「工工四の節の配列順」にし、第二部に「古い琉歌集を採録」し、第三部には、舞踊に使われている普通の歌を収めることにしたと「琉歌集」の構成について述べていた。

島袋は、比嘉の「琉歌集」を見てさっそく新しい「琉歌集」の準備にとりかかったに違いない。一九六〇年には「比嘉さんの歌集にもれた歌を集めて、節組の部一、四〇〇余首、吟詠の部（曲譜のないもの）一、四〇〇余首、併せて二、八〇〇余首を得ました。／これをまとめて、単行本として出したいと思います」（『沖縄タイムス』「琉歌散歩10」）と書いていた。

『琉歌大観』は、琉歌の集成といった大変な仕事であった。島袋は、その仕事をしていく上で、小橋川朝昇の大歌集や仲原幸吉の琉歌物語といった著作物を参照した（「古典音楽の本歌について」『琉球音楽　記念誌』一九五九年）であろうし、喜納緑村の『琉歌註釈』等はいうに及ばずその他にも参照した本があるはずである。『琉歌大観』に不満があるとすれば、そのような出典を明らかにしてないという点にあるが、『琉歌大観』が賞賛に値するものになったのは、その後の琉歌研究に大きく寄与しただけでなく、現代作家を啓発した点にもある。

池澤夏樹は日本文学全集30『日本語のために』に、「琉歌」を収録している。「テクストは島袋盛敏の『琉歌大観』に依る。実はこの四年後に発音をカタカナとローマ字で記した『琉歌全集』が刊行されている。収録された歌はほとんど同じ。こちらの方が後だから本来ならばこちらを採るべきなのだが、どうも解釈などが前者の方がよいようにぼくには思われる。／ただし『２１０１　花当の里前…』の歌については『琉歌全集』の方を用いた。これはそのまま歌物語で、悲恋で、あまりうまくできているのでぼくはこれをもとに『連夜』という短編を書いた」という。

池澤は、そのように琉歌から想を得て自作を書いたと記していただけでなく、「面影とつれて　いきやす別やべが　語らても飽かぬなれしおそば」の補注で「『池澤夏樹個人編集＝世界文学全集』の『短編コレクション』に目取真俊の『面影と連れて』を入れたが、あのタイトルのもとは

たぶんこの琉歌だろう。あの話ぜんたいがこの歌の情感に沿っているとも言える」と解説していたし、また折口信夫が、琉歌に歌われた「夏ぐれ」を取り入れて短歌を詠んでいるといい、琉歌が現代の作家たちに大なり小なり影響を与えていることを指摘していた。

池澤は、『琉歌大観』から三〇首を選んで紹介していたが、島袋は『琉歌大観』を刊行する前に、『琉歌大観』に収める歌から「名所の歌」四四首、「かれよしの歌」二六首、「望郷の歌」九首に付録一首を選び、「意」「解説」を付して『沖縄タイムス』に九〇回に渡って「琉歌散歩」を連載していた。

「琉歌散歩」で紹介する歌は「二、八〇〇余首の歌の中から」選び出した「面白い歌」であると、島袋は書いていた。確かに「面白い歌」を選んでいるのだろうが、選ばれた歌の多くは、多様な解釈にさらされている歌であった。

島袋はまず自分の解釈を示したあと、「右にかかげた私の解釈も、あえて固執するものではなく、他に納得の行く解釈がある時は、いつでも改めるにやぶさかではない」と言ったり、「もしもこの一文をご覧下さることがあったら何れが正しいか、教えて頂きたくお願いする次第である」と書いたりしていた。『琉歌大観』になると、前者は「歌もきわめて難解で、人によって解釈もまちまちなので」と、先の言葉は消去され、後者では、「懇切丁寧なご教示を得ることができた」といったことが記されていく。

読者に教えを乞うというかたちに「琉歌散歩」の特異な一面を見ることができるが、あと一つには、尚家の侍医の詠んだ歌の解説で、蘭方医を「大和医者」、漢方医を「沖縄医者」と呼んでいたこと、そして蘭方医は「さん」づけしたが、漢方医にはつけなかったといったようなことが書きこまれていた。それが『琉歌大観』では消えている。「琉歌散歩」は、『琉歌大観』では抹消された島袋の蘊蓄を傾けた話をよむ楽しみがある。「琉歌散歩」は、その他いろいろと『琉歌大観』では消えてしまった話が満載されている。それだけに、『琉歌大観』では味わうことの出来ない楽しみをかきたててくれるものとなっている。

島袋とともに「琉歌散歩」をすることで、池澤夏樹や目取真俊がそうであったように新しい世界が開けてくる宝玉のような歌に出会うこともあるのではなかろうか。

琉歌散歩

島袋　盛敏

私の歩いた道　一

あがりあかがれば墨習いが行きゆん
かしら結てたぼうれわ親がなし

「琉歌散歩」を掲載するにあたり、まずはじめに自己紹介をしたいと思います。

私は明治二三年（一八九〇）一二月、首里に生まれました。家が頑固党であったため、私は小学校三年まで髪を結っていました。いわゆるカタカシラというものです。それで髪を結う時はいつも逃げ回って大騒ぎを演じましたが、捕まえられると櫛の背でコツンと頭を打たれながら、

「あがりあかがれば墨習ひが行きゆん、かしら結てたばうれわ親がなし」

という歌があるのは知らぬか、あんまりマクになると、許してはおかんと説教されました。

その時は大変恨めしい痛い歌だと思いましたが、いまは思い出して、一種のなつかしさをおぼえます。当時のわがカタカシラ姿を写真に撮っておけばよかったと後悔し

ています。どんなに滑稽でしかしおもしろく珍しいものであったでしょう。
明治四一年四月、師範学校に入学し、四五年三月に卒業しました。その間お世話になった崎浜秀主先生と源河朝達先生のお二人が、いまもお元気でいらっしゃるのは私が何よりも喜びとするところであります。

また同期生、時々新聞を賑わしている者には、元の二中教師で那覇視学などもやった奥村幸福、音楽家の山内盛彬、琉歌研究家の中原幸吉、おもろ研究家の仲原善忠、植物学や言語学や民族などの研究家与世里盛春、中央大学教授の高里良恭などがおりますが、最も変わり種は琉球新報編集局長をしたり、真和志村長をしたり、県会議員をしたり、あらゆる方面に手腕を振った真栄城守行という男です。

その他新聞にはあまり顔を出さない上里朝秀という男は、成城学園の高等学校長をしています。こう並べて見ますと、私の仲間はどれもこれも皆一癖ありそうな顔をしています。

思童すかちなまど思知ゆる
昔わぬもたる人のなさけ

さて私は、師範学校を卒業すると、金武小学校の教員に任命されました。新卒業のほやほやであるから、兵隊の位で言えば二等兵ぐらいのものであろうと思いながら行きました。

ところが、行ってみると、意外にも中尉ぐらいの待遇を受けました。それは当時正教員が少なくて、農学校を卒業した代用教員や、講習科を出た准訓導という老先生達が大勢いて、いきなりその上に私は据えられたわけです。

校長をはじめ老先生達から、手を取らんばかりに大歓迎されて、私の人生のスタートは上々と言うべきものでした。村の人達も、若い先生が来たといって、何かと親切丁寧にもてなしてくれました。窮屈な師範学校の寄宿舎から自由の天地に飛び出した時の気持ち、初めて月給をもらった時の気持ち、初めて結婚した時の気持ち、思えばまことに華やかなものでした。可愛らしい腕白小僧や茶目子達を相手にした時は、

「思童すかちなまど思知ゆる、昔わぬもたる人のなさけ」

という琉歌の味が、しみじみわかるような気がしました。

金武には足かけ六年いましたが、母がしきりに早く転任して首里に来いと催促しますので、山下孫十郎校長に、首里にやってくれと言いますと、山下校長は、「君のような優良教員に去られると、後が困る。もうしばらく我慢してくれ」と言います。

そう言われると、ムリに振り切って行くこともできないで、しばらくとどまっていましたが、そのうちに首里の空席はふさがり、そのかわりに宜野湾に欠員があるというので、山下校長も今度は仕方なく許してくれました。

しかし、首里に近くなったと思う間もなく北玉に転じ、それから伊波に流され、また浦添に代わるという風に転々しましたが、浦添に来た途端に、図書館に来ないかという話がかかりました。

県立図書館の司書となる

当時の沖縄県立図書館長は伊波普猷(ふゆう)先生で、司書は照屋寛範さんでしたが、照屋さんが牧師となって教会に行かれることになったので、その後任に私が招かれたわけです。推薦して下さったのは当時県庁におられた比嘉春潮さんでした。大正九年三月のことです。

そこで田舎まわりばかりしていた私は、今度は首里の自宅から那覇へ、毎日電車に乗って通うようになりました。

伊波普猷先生は私の崇拝している人物であり、比嘉春潮さんは兄貴のように親しくしていた先輩であり、その上読書人の新しい知人友人が増え、書物は何でも読みたいものが目の前に一杯並ぶようになりましたから、私の生活はいままでとは天地雲泥の差のある楽しいものになりました。

月給は五〇円でしたが、伊波先生はこれはあまり少ないと心配されて、ある日第二女学校に行かれて講師の口はないかと相談されると、国語の先生が不足で困っているところだという話で、私は早速二高女の講師を兼ねることになって、一週間に一、二回行くようになりました。大正一〇年のことです。

その時面白い話があります。月給五〇円でもいいと思っているところへ、急に三〇円増えるようになると、私はその使い道に困りました。そこで家内に向かって、

「隣り近所の貧しい人達に、少し恵んでやったらいいだろう」

と言いました。すると家内は、「あなた、何をおっしゃるんですか。いままでは始終足りないで困っていましたよ。八〇円あれば、どうにかこうにかやっていけるというもので、人に恵んでやるなんて、トンデモナイ…」と言うのです。いとしきわが妻は、一言の不平も不満も言わなかったとみえます。女というものは何という辛抱強いものであるかと感心すると同時に、亭主関白少しは注意せんとだめだと思いました。

二高女で先生をしていたころ

二高女に行くようになると、月給が増したばかりでなく、花の乙女達を相手にして、わが意気大いにあがりました。その花の乙女達の中に、いまの琉球政府の行政主席大田政作氏の夫人や、立法院の紅一点宮里初子議員などがいました。先生は大方すでに亡くなられたようですが、教頭であった嶺井強衛さんは、いま佐敷で田園詩人となって、悠々自適の生活をしておられるようです。女の先生では竹野光子さんが、婦連会長に再選されたという話であります。

この竹野さんは男まさりの女丈夫で、当間市長が那覇市で競輪をやろうとした時、猛反対の運動をして、遂に競輪をやめさせたことがあります。実にすばらしい女性です。二高女でも私以外の男の先生は、みんなこの竹野さんに鼻の先であしらわれていました。私といえども一度鼻の先であしらわれたことがあります。

それはある日、私が職員便所に入っていると、だれかが来て、戸をトントンとたた

きました。その音が辻の仲前をたたく音に似ているので私が、

「ターヤミセーガ、ニーケーンカイ、イミソーレー」

と言って、外に出て見ると、男の先生と思いきや、そこには女の先生、しかもおそるべき竹野先生が立っています。これはしまったと思って、私はあわてて二等兵のように、挙手の礼をして、

「失礼しました。お待たせしました」

と言うと、竹野先生鼻の先でフンといって、

「知らない、早くあちらへいらっしゃい」

と、追いやられてしまったことがあります。

日ごろ女の先生の前では、一度も辻に行ったことのないような顔をしていましたが、これですっかりバケの皮がはがれてしまい、信用を落としました。

私はKさんが好きでした

女学校の先生である私が、辻に行ったというと、あきれる方があるでしょう。それは女に甘い証拠だという人があるかも知れません。しかし私は甘いのでなく、人一倍博愛の心が深いのだと、ひそかに信じています。事実、女学校でも生徒は皆わが子のように、あるいは恋人のように愛していました。

それで面白い話があります。東京では二高女の同窓会が時々開かれて、私もいつも招待されて出ていますが、ある時ビールを飲んで、皆が陽気になっていますと、一人の卒業生が、

「私は先生が好きでした」

と言い出して、私をびっくりさせました。

「それをなぜ早く言わなかったのだ。今になって、そんなことを言っても、遅いではないか」

と私が大変残念がると、

「だって、先生はKさんが好きだったでしょう」

と言って、皆一緒に手をたたいて大笑いです。

「Kさんも好きだったが、皆さんも好きだったよ。一視同仁だ」と、弁明すると、

「一視同仁だったでしょうが、Kさんは特別に大好きだったでしょう」

と言って、弁明を聞いてくれません。そこで私もカブトを脱いで、

「Kさんが好きだということは、だれにも知られないつもりでいたのだが、貴女方は知っていたのか」

と言うと、

「知っていましたとも。先生はいつでもKさん、Kさんですもの」

と言って、恨むが如く、むせぶが如く、そして果てはまたまた大笑いになりました。

このKさんというのは、とても可愛い子で、ミス二高女とか、ミス那覇とか言われそうな生徒でしたが、いまは数人の母となっているそうですから、年月の流れの早さには、今さら驚くばかりであります。

忘れられない四一八番

話が少し脱線しましたが、私が図書館と二高女をかけ持ちしている時、島袋全発校長が、かけ持ちでは困るから学校の専任になってくれ、そうして専任になるには、資格が必要だから、文検を受けて免状を取ってくれという注文を出して来ました。

そこで、私も背水の陣を敷かねばならなくなり、伊波先生とも相談の上、図書館を辞めて、にわか勉強を始めました。

それまでは、図書館で好きな本を読んだり、二高女で生徒と一緒にテニスをしたり、あるいは旅行をしたりして遊んでばかりいましたが、いつも生徒を試験でいじめている先生が、今度は自分が試験を受けねばならなくなり、花は咲けど、鳥は鳴けど、それらを振りかえって見ることもできないようになりました。

悪戦苦闘の結果、漢文の免状を取ることができました。これが昭和三年一月のことでした。

漢文は、師範時代に崎浜秀主先生に教えて頂いて、漢文の趣味を与えられたおかげであったと今も感謝しています。

それからもう一つ面白い話は、漢文の試験を受ける時、私の合格を予言してくれた人があります。それは琉球大学の教授山田有功さんです。

山田さんも私と一緒に漢文を受けたのですが、私の受験番号の四一八番を見て、

「あ、これは合格だ、ヨイハという番号だ」

と言いました。四苦八苦の時、その言葉は、私に絶大な勇気を与えました。果たせるかなその言葉通り合格しましたので、私はいまでもその番号と共に、山田さんの予言を忘れることができません。何だか山田さんの予言のおかげで合格したような気がしたほどであります。山田さんは面白い人で、逸話が沢山ありますが、それは他日お話する機会があろうと思います。

二つない我身の中にはさまれて
心くらやみになるが心気

二高女の先生になって一〇年目の昭和六年のはじめ頃、成城学園の女学校にいる友人から、国漢の先生を一人ほしいが、東京に出る考えはないかと言って来ました。考えがないどころか、おおありだけれど、出る機会がなくて、半ばあきらめていたところですから、この手紙が来た時は、天来の福音を聞く思いがしました。第一、子供達の教育のためにも、上京すればどれほど助かるかわかりません。多年の夢が実現するわけです。

しかし長く世話になった島袋全発校長に、何と言って頼むべきか、また愛すべき生徒達といかにして別れるべきか、わが心乱れざるを得ませんでした。

東京には早く行きたい、しかし故郷も去りがたい、身は一つにして、心は二つに分かれ、いかにすべきかと、悩んだのであります。

組踊「二山和睦」の主人公謝名大主が、北山にいてくれと言う北山の子供と、南山に帰ってくれと言う南山の子供と、両方の子供に引っ張り合いされて、どれも捨て去ることが出来ず、

「二つないぬ我身の中にはさまれて、心くらやみになるが心気」

と言って、なげく場面がありますが、私の心持ちも、ちょうどそれに似たものがありました。

しかし、いつまでも悩んでばかりいるわけにもいかないので、ある日の放課後、校長室に島袋校長と緊張した会見が行なわれました。

昔、金武の山下校長に、

「君のような優良教員に去られると、後が困る」

と言って、数年ひきとめられたことが思い出され、今度は島袋校長が何と言うであろうかと、胸をどきどきさせました。

それはちょうど、恋しい人に恋を打ちあけてイエスと言うか、またはノーと言うか、その返答によってこちらの運命が決せられるようなもので、こちらから言い出すのも容易でないし、先方の返事を聞くのも大変です。

それは、おめでとう

島袋校長は、初め何かちょっとした用であろうと思ったらしく、私に敷島のタバコをすすめたりして、気軽い態度でありました。

思い起こす島袋校長は、愛酒家であると同時に大の愛煙家で、タバコは必ず敷島に限っていました。今度の戦争で、この二つの物がなくなり、どんなに閉口したか思いやられました。酒やタバコの配給がある時は、近ければなと思うことがありました。

さて島袋校長は、私の話を聞くと、急にタバコをやめて、私の顔を見つめました。

「君は二高女を捨てて、東京へ行くと言うのか」

と、いうふうに見えました。

「君は何という恩知らずだ」

と、いうふうにも見えました。まさか、そんなふうなことは言われないけれど、そんなふうに思われはしないかと、私は大いにあわてていろいろ事情を述べ、自分は大学に行けなかったけれど、子供達はぜひやりたいこと、この機会を逸すると、もう二度とこんなことはないだろうということなど、あれやこれやいろいろ訴えて、一生懸命に懇願しました。

校長は立腹するかと思いましたが、別段立腹の様子はなく、かえって珍しいことを聞いたというふうな顔になって、最初に私に言った言葉は、

「それは、おめでとう」

という言葉でした。私は恋人にイエスと言われたような心地がして、胸をなでおろしました。

「いい事だ。実は師範学校からも君をほしいと言って来たことがあるが、その時は断った。しかし今度は成城学園に行くとあれば止めることはできない。君のためにも子供達のためにも祝すべきことだ。おめでとう。結構だよ」

という快諾を得ることができました。その時、私がどんなに深く頭を下げたか、また何度下げたか、また笑ったか、泣いたか、少しもおぼえていません。夢中でした。

私の歩いた道　九

夢のような成城学園での生活

昭和六年三月二一日、大義丸に乗って、那覇港を出帆することになりました。桟橋には、島袋校長をはじめ二高女の職員生徒、卒業生、知人、友人、親類など大勢が見送りに来てくれましたが、あゝその手を振って別れた人の中には、いまはもう永遠に会えなくなった人が沢山おります。

その時、名残りを惜しんだ那覇の町もすっかり焼き払われてしまい、はるか東方に高くそびえていた首里城の光景も、あれが最後の見納めになろうとは、夢にも思いがけぬことでありました。

四月一日から、成城学園における新しい生活が始まりました。見る物、聞く物、すべて珍しいものばかりで、その時の模様は、当時沖縄教育会から出していた『沖縄教育』という雑誌に、一年間ぐらい連載したことがあります。

有銘興昭さんが編集長で、中々面白い雑誌を作っていたので、私は有銘さんを輝ける編集長と言って、提灯を持ったことがあります。どうなったでしょうか。

長くなりますから、ここには当時の模様を書くのはさしひかえますが、成城には二〇年間いました。その間の喜びや悲しみは、まるで夢のような心地がします。

喜びは、子供達が小学から中学、高校、大学へと順調に進んだことでした。

しかし悲しみもすぐ来ました。母が亡くなったこと、長男が大学在学中に高文を取り、卒業と同時に東京地方裁判所に勤めるようになりましたが、今度の戦争で呼び出され、ダバオという所で戦没したこと、五男が高校から大学へ行こうとする間際に倒れたこと、私は全く打ちのめされたようになりました。

広島に原爆が落されたということを聞いた時、私もその下に行っておればよかったと思うほどでありました。どうしたら、死んだ子供達の所に行けるかと、毎日そのことばかり思いました。

二、八〇〇余首の歌の中から

終戦後、毎日ぼうぜんと暮らしている中、全身がだるくなって、何をする元気もありません。胸や肩や足や体の方々が痛みますので、校医に見てもらうと、声を使う教員の仕事を辞めて、雑誌の編集のような筆の仕事に転向したらどうか、幸いに私の知人にそういう人を捜している者がおるから、行く考えがあったら、紹介してやろうと言います。

そこで、私は思い切ってその言葉に従い、方向転換をしました。その雑誌は新聞の社説や雑誌の論説ばかりを批評する風変わりな雑誌でした。実に愉快な仕事もあればあるもので、教員の仕事よりはるかに楽しいものでした。

ある県の知事から、新聞社説の批評は面白い、大変参考になると言って来たことがあります。読書新聞や図書新聞からも好評を受けたことがあります。

けれども残念なことに、この雑誌は、一年半でつぶれてしまいました。その後ひまでぶらぶらしている時、比嘉春潮さんが『おきなわ』という雑誌に琉歌集という特集号を出され、これが非常に面白いので、今度は琉歌研究に乗り出すようになりました。

そうして比嘉さんの歌集にもれた歌を集めて、節組の部一、四〇〇余首、吟詠の部（曲譜のないもの）一、四〇〇余首、併せて二、八〇〇余首を得ました。

これはまとめて、単行本として出したいと思いますが、ここにはその中から面白い歌を選び出してお眼にかけたいと思います。

まずはじめは、沖縄の名所をうたった歌、次は嘉例吉の歌、それから恋歌や哀傷歌や旅歌など、紙面のゆるす範囲で、なるべく特色のあるものをご紹介したいと思います。

琉歌は難解のものが多く、また人によって解釈のまちまちなのが沢山あります。どうぞご批判ご感想をお寄せ下されたくお願いいたします。

（前口上これで終わり）

阿嘉のひげ水

詠み人しらず

阿嘉のひげ水や上にかへど吹きゆる
かまど小が肝や上り下り

沖縄の名所をうたった琉歌は、一八〇首ぐらいある。しかし同じ所をうたった歌がいくつもあるから、実際にうたわれている名所は百ケ所ぐらいのものであろう。ここには、その中で面白いものを選んでみた。順序は五〇音順である。

（意義）阿嘉のひげ水は、上に吹き上げるだけだが、かまど小の胸は波打って、絶えず躍動し、上り下り少しも

休まるひまはない。

（解説）久米島の名所と言えば、まず第一に阿嘉のひげ水があげられ、その光景はなるほど見物ではあるが、しかしそれにもまして心が引かれるのは、かまど小の胸である。

ひげ水などは、上に吹き上げようが、下に吹き下げようが、どうでも構わないが、かまど小の肝が上り下りするに至っては、これは容易ならぬことである。熱き血潮に燃えるその美しい胸は、一体いかなることを思い、いかなることを考えて、肝は上り下りしているであろうか。男共の気をもますことおびただしい。

この歌は『久米阿嘉節』の曲で慕われ、次のような歌が続いている。

「こひん小の酒や仲人のたまし、かまど小とわぬや手腕枕」

これによって見ると、いかなる果報者か、とうとうかまど小を陥落させたものと見える。

田舎の結婚は、結納も酒、結婚の祝儀も酒、何もかも酒である。

「あんぐわたやよかていな夫も持ちゆり、わぬやなま童酒ど盛てある」

姉さん達は立派な一人前の女となって、早や夫を持つようになったが、わたしはまだ子供で、酒を盛って（結納）約束をしたばかりだ。約束さえしておけば、後は人生の春の来るのを待つばかりだ。春来りなば結婚遠からじ…である。

赤田門

赤田門のおすく枝持ちのきよらさ
城めやらべの身持ちきよらさ

詠み人しらず

（意義）赤田門の前にあるおすくは、枝振りが美しい。その美しい枝振りを見ると、城内の奥にくらしている城めやらべたちの身持ちのよいのが想われる。

（解説）赤田門は首里城の東方、赤田に面して建っていたから、俗にそう呼ばれていたが、本名は継世門である。王位継承の際、この門から世子が参入したのである。それで古名は「そへつぎおぢやら」と言われた。

この門は、赤田風節の

「赤田門やつまるとも、恋しみもの門やつまて呉るな」

という歌で、悲しい恋物語が伝えられている。

城めやらべというのは、地方の良家の娘達が選ばれて、城内の奥の間で、お膳のことや、小間使いのような仕事に従ったもので、奈良時代の「采女（うねめ）」みたいなものであったろうと思う。

年ごろの見目形麗しい娘達が、果たして「身持ちきよらさ」であったかどうか、これは疑わしい点がある。多分に希望的観察か、あるいは風刺的にうたったのではないかと思われるのである。

その証拠には、次のような歌がある。

「まものさな登て円覚寺みれば、隠れすみぼさが手さじちやげさ」

まものさなと言うのは、城中の物見台で、昔は信号旗を立てて、時刻を知らしたこともある所。すみぼさと言うのは、墨染の衣を着た坊さん。つまり、隠れ忍びの坊さんが手さじを振って見せたのは、何かわけがあったと思われる。

また次のような歌もある。

「西のさな登て真南向かて見れば、ましらこに見ゆる里が殿内」

西の物見台に登って南方を見れば、恋人の家の新しく作った屋根や石垣が真っ白く見えると言うのである。

しからば、みんなよろしくやっていたのであろうと思う。

赤田門（続き）

念頭平松や枝持ちのきよらさ
田名の女童の身持ちきよらさ

赤田門のおすくのように、枝持ちの美しさと、めやらべの身持ちの美しさを比べて賞した歌があるから、序にかかげてみよう。

「念頭平松や枝持ちのきよらさ、田名の女童の身持ちきよらさ」

念頭平松は伊平屋島にある名木で、その枝振りはまことにみごとである。これはおそらくどこにも比べるものはなかろう。しかし田名のめやらべは、何のために強いて身持ちがよいと褒めたたえねばならないのか、かえってあやしまれる。と言うのは、

「田名の浮島や風ままになびく、里ままになびく田名のめやらべ」

という歌があるからだ。里ままになびくのは自由で結構であるが、それをわざわざ身

持ちきよらさと褒めるのは、田名のめやらべの遊び好きを風刺する意味はなかったであろうか。

宜野湾の大山にも、有名な平松があった。その歌は、

「**大山平松や枝持ちのきよらさ、大山めやらべの手振りきよらさ**」

というのである。これは踊りがきれいであると言っている。今度の戦争でこの松はどうなったであろうか。それから、

「**屋慶名こはでさや枝持ちのきよらさ、屋慶名めやらべの手振りきよらさ**」

これも踊りが上手であったらしくて、その方が何となく昔の面影がしのばれる。

八重山の西表島に行くと、

「**舟浮こはでさや枝持ちのきよらさ、舟浮めやらべの身持ちきよらさ**」

またまた身持ちきよらさと言っているが、ここのめやらべも遊び好きではなかったろうか。ついでに言っておきたいことは、めやらべのことを、沖縄ではミヤラビと言うから「宮童」とか、あるいは「美童」とかいう字を当てているが、みな間違いである。強いて漢字で書くなら「女童」と書くべきである。

名所の歌　四

あかつら

恋しあかつらの波に裾ぬらち
通ひたる昔忘れぐれしや

尚灝王(しょうこう)

（意義）恋しいあかつらの波に裾を濡らして辻に通うた昔のことが忘れられぬ。

（解説）王が小禄王子と言われた時代、辻の染屋に通ったことを思い出して詠んだものである。

若狭町の大通りを通って行くとすぐ人に知れてしまうので、非常に用心して、誰にも知れないように、あかつらの波に着物の裾を濡らしながら通ったので、無事にすんでいたが、この歌が政治家どもに知れて以来、王子の辻行きが禁止されるようになった。しかし恋の道ばかりは、禁止されればされるほど、いよいよますます思いはつのるばかりである。今帰仁王子もその例にはもれないで、ある日、辻で夜を明かしてしまい、

「もしか夜のあけて与所知らばきやしゆが、行く先やあがととりや鳴きゆり」

という歌を詠んで、嘆いたことがあった。

いまなら車でスーッと行って「行く先やあがと」などと嘆く必要もないが、昔は一里の道でも、行く先やあがとであった。

神村親方も

「みにし吹くころやかはてさびしさの、あかつらの潮の鳴ゆす聞けば」

という歌を詠んでいるが、これは辻に行く途中であったか、または他方に行く折であったか不明である。

崎浜秀主先生も、

「恋しあかつらの友呼びゆる千鳥、鳴声聞く夜半や眠りぐれしや」

という歌を詠まれておるが、これはもちろん辻とは何の関係もない。先生が戦後与儀から若狭町に移られて直後、方々を転々されたことや古往今来、万感交々至ってお詠みになったものと思う。

このあかつらも、あたりの風光が昔とは変わったであろう。

名所の歌　五

安里八幡宮

安里八幡の松抱きゆるおすく　おれが露たいはど里とのかぬ

詠み人しらず

（意義）安里八幡宮の境内には、松を抱いているおすくがあるが、そのおすくの葉にたまっている露を吸うと、恋人といつまでも縁が切れないで、永久に愛し合って行く事ができるそうだ。是非その露を吸いたいものである。「たいは」というのは、飲食の丁寧語である。

（解説）どうしたら恋人との縁が切れないか、いつまでも互いに愛し合っていけるかということは、恋をする者にとって大問題であることは言うまでもない。もしそれを解決してくれるものがあったら、どんなことでもしようというのが若い人達、ことに純情の乙女心であろう。

おすくの露を吸ったら、その望みがかなえられるなんて、そんなことは迷信だと笑う者がいたら、それは恋をする資格がない。

それと似た歌に、

「平良高嶺の夫婦樋川のおべいや、おれが水たいはど無蔵とのかぬ」

という面白い歌がある。夫婦樋川と言うから、樋川が多分二つあったであろう。そして夫婦という言葉に特に心が惹かれる。

おべいと言うのは水の敬語で、三、四月の頃、おべいなでと言って女の楽しい行事がある。泊の後方にある崎樋川は、おべいなでの有名な所で、ここで幾多のロマンスが生まれたという話がある。

樋川は大抵どこにもある、しかし夫婦樋川は珍しい。そこで、その水を飲めば、夫婦の縁が結ばれて、いつまでものかないという希望が湧いて来るのも自然の情である。無蔵と夫婦の縁を強く結ぼうとして、夫樋川の水を飲んだり、妻樋川の水を飲んだり、あんまり飲みすぎて、腹がポンポンになった男達は無かったであろうか。男達ばかりでなく、娘達も人知れずこっそり盛んに飲んだであろうと思われる。

天川の池

天川の池に遊ぶおしどりの
思羽のちぎり与所や知らぬ

本部按司朝救

（意義）天川の池に遊ぶおしどりには、外からは見えぬ思羽と言うものがあって、深く愛し合い、ちぎり合っているが、丁度それと同様に私と彼女も、誰にも知られぬように深く愛し合いちぎり合っている。

（解説）昔の人は、恋愛を秘密にしていた。もしその秘密がもれたら、たちまち評判になって、二人は絶対に会えなくなり、悲恋破恋の憂き目を見ることもあった。

それに比べると、いまの恋人達は、公然と誰はばから

ず自由に会ったり、アベックをしたり、非常に幸福そうである。変われば変わる世の中である。

ここで面白いのは、天川の池がどこにあるかという問題である。野村流古典音楽保存会（会長屋嘉宗勝氏）から出した『琉球音楽』という本を見ると、山田有功氏は読谷山の比謝川下流に沿っている地名だとしている。

これに対し、奥里将建氏は、同じ本に大島の地名だとしている。「天川節が大島歌であることを知らずに、謡っている音楽家がいるかも知れない」と奥里氏は言っている。深く信じているらしい様子である。

果たしてどちらが正しいか、ちょうどこの問題が表面に現われたのを好機会として、是非明らかにしたいものである。

私はこの天川の歌が、本部按司朝救の作であるところから、何の疑うこともなく、山田説と同様にこれを沖縄の名所の歌に入れたけれど、しかし天川という名前は、大島らしいところもある。

そこで山田、奥里両氏が、もしもこの一文に眼を触れられるようなことがあったら、私の乞いを入れて、いま一度確かめていただきたい。これは両氏にお頼みするより外に方法のないことを了承していただきたいものである。

伊舎堂のがじまる

詠み人しらず

伊舎堂前の三本がじまるどっとみごとや
おれが下をとて遊びでけらさな

（意義）伊舎堂前の三本がじまるは非常にみごとである。その下で立派な踊りをして遊んでみたい。

（解説）中城間切の伊舎堂村は、有名な花国で、男女の若者達が、毎晩三本がじまるの下に集まって盛大な遊びを催した。

遊びというのは、今日言うところの遊びとは違って、昔は歌三味線、踊り、芝居などを指して言ったのである。村芝居という言葉はなくて、村遊びと言い、野外舞踊場を指して「遊び庭」と言った。

伊舎堂は、この三本がじまる以外に「花の伊舎堂」という歌でも有名である。それ

は「じっそうぶし」という曲でうたわれる歌で、

「思ゆらば里前島とまいていまうれ、島や中城花の伊舎堂」

というのである。昔は男でも女でも、恋を語ったり縁結びをしたりするのは、自村の者に限っていた。他村の者に対して、島とまいていまうれなどと言うのは、余程特別の場合であったに違いない。一村の者から、あばずれ女と悪口を言われたかも知れないが、しかしよく言えば、進歩的であり、革命的であり、恋愛至上主義であったと言えよう。

古今集十八巻に

「わがいほは三輪の山もと恋しくば、とぶらひ来ませ杉立てる門」という詠み人しらずの歌があるが、実によく似ている。

西原間切の小那覇村も有名な花国と言われていたが、そこには、

「島寄せれ寄せれ小那覇村寄せれ、島の寄せられめ里前いまうれ」

という歌がある。これはよく小那覇村に遊びに行った首里の三箇あたりの若者との問答歌のように思われる。それは、

「里やあやはべる我身やぼたん花、花の寄られゆめ里前いまうれ」

という歌と似て、それ以上に面白い。

犬那川

伊計離嫁やなりぼしやややあすが
犬那川の水のくみのあぐで

詠み人しらず

（意義）伊計離島の嫁になりたくはあるが、いんな川の水を汲むのが大変だ。それを思うとせっかくの嫁入りの話でも、喜ぶわけにはいかない。

（解説）若い嫁の仕事として、朝晩の水汲み仕事は何よりも大切だから、娘達はお嫁に行く時、まず真っ先に井戸がどこにあるか、水汲み仕事は楽か難儀か、ということを考える。

それは伊計に嫁ぐ娘達ばかりでなく、田舎はどこでも女が水汲みを受け持ち、朝は皆がまだ寝ている中に起き出して行かねばならないし、晩は皆と一緒に畑仕事を終えてから、再び水汲みに行くのだから、不公平で可哀想である。

それでも井戸が近くにあるか、あるいは遠くてもきれいな道であったらいいけれど、大抵は遠い上に、急なけわしい坂道で、上ったり下ったり、ひどい悪道であったから、あこがれのお嫁入りではあるが、行こうか行くまいか、どうしようかと迷うのである。

伊平屋島にもこれと似た歌がある。作者は詠み人しらずで、

「大田名の嫁やなりぼしゃやあすが、石原あざ道のふみのあぐで」

と言うのである。これは水汲みのことはふれないで、ただ道が石ころのひどい悪道だから、大田名の嫁に行くのはご免だと言っているが、ただ道が悪いというばかりでなく、やはり井戸に行く道が大変だということであろう。

それで、もしもお嫁に来る者がなかったら大変だと、大田名の若者達は次のような歌を詠んだ。

「石原あざ道や踏みやあぐまはも、大田名の嫁やましやあらね」

しかしながら、それに比べると

「わが富里島や水ほしゃやないらぬ、池小堀このでよこちおきやいん」

と歌っている富里の若者達は、平素の心がけのよいのを示している。

内兼久山

神村親方

急ぐ道よどで見るほどもきよらさ
内兼久山のはじのもみぢ

（意義）内兼久山のはじの紅葉があんまり美しいので、急ぐ道ではあるが、思わず立ち止って見とれてしまった。

（解説）表面の意味は右の通りであるが、この歌には裏話があって、実は内兼久山の傍にある家で、若い女が布を織っているのを見たのである。それがびっくりするほどの美人で、思わず足を止めたのである。

しかし、親方ともあろう者が、美人を見て急ぐ道を立ちよどんでしまったとは言えない。そこで紅葉にことよせて、一首詠んだという話である。

気候風土の関係上、沖縄で紅葉の名所は至って少ないが、その数少ない中で、首里の弁の岳は紅葉の名所で、次のような狂歌がある。

「**弁の岳見ればおらんさんともてやらち見せた　ことはじの紅葉**」

意味は、弁の岳を見れば、おらんさんかと思って人をやって見せたら、おらんさんではなくて、はじの紅葉であったと言うのである。

おらんさんと言うのは、国王の行列がある時、国王の乗物の上に差しかける傘で、略して涼傘と言うこともある。傘の周囲に金襴（きんらん）の赤地浮織模様で、目を奪うばかりの美しい幕のようなものが垂れ下がっていた。

王妃の御涼傘は黄地浮織模様であったから、チール、ウランサンと言っていた。国王の赤地浮織模様の涼傘と、王妃の黄地浮織模様の涼傘がそろって行列するようなことがある時は、はじの紅葉の美しさどころではなかったであろう。

御殿殿内に美しい娘がいると、彼女の上には、チール、ウランサンがあがったかも知れないのに惜しいことをしたと、うわさをしたものである。過ぎし昔の夢を追うような話であった。

円覚寺

詠み人しらず

円覚寺御門の鬼仏がなし
我無蔵よこしゆすやおどちたばうれ

（意義）円覚寺御門の両脇に、いかめしい格好をして立っている鬼仏さま、私の恋人を誘惑するやつは脅して下さい。

（解説）滑稽で非常に面白い歌である。自分の見ない所で恋人をだますやつがいた時、自分の力ではどうすることもできない。

そこで神仏におすがりしようとして詠んだ歌である。その時、普通の仏さまは本堂の奥深くにいらっしゃって、お願いをしても知らぬふりをされる恐れがあるが、鬼仏さまは幸いにして大通りに面した御門の両脇に、眼を怒らし、腕をふり上げ、口を大きく開いて、いかにも恐ろしげな格好をしていらっしゃるので、この鬼仏さまにお願いするのが最も効果があると考えたのである。

恋人の番をして下さいと頼むとは、何と虫のよい人間共かと、鬼仏さまも苦笑されたと思うが、円覚寺や弁財天池の周辺は、恋のささやきに最も適した所で、若い男女がよくアベックをしていたから、こんな願いを申し立てる人間も現われたと思う。

この鬼仏さまは、左の方は全身はだかになって、わずかに腰のあたりに布を巻きつけ、その恐ろしげな格好がいかにも男性的であり、右の方はそれに比べると幾分おとなしい顔付きをし、また着物も着て、口も閉じ、いかにも女性らしく見えた。

そこで口さがない首里童は、左の男性的の鬼仏さまには仁王仏と言い、右の女性的の鬼仏さまにはマカー仏と言っていた。

仁王仏はまあいいが、マカー仏はでたらめである。本当の名は左は密跡金剛、右は那羅延金剛である。

円覚寺は跡形もなく、いまは琉大の運動場になっているそうであるが、私の頭の中には、まだ昔の面影が忘れられない。

恩納岳　　　　　　恩納なべ

恩納岳あがた里が生まれ島
もりもおしのけてこがたなさな

(意義) 恩納岳のあちらがわに、私の恋人の村がある。この邪魔になる恩納岳をおしのけて、わが恋人の村をこちらがわに引きよせたいものである。

(解説) 恩納なべの歌は、全部で一七首あるが、この歌はその圧巻とも言うべきものである。万葉集の柿本人麿の歌「妹が門見むなびけこの山に」によく似ていると言って、引き合いに出される歌で、雄大な構想とほとばしり出る情熱は、他に類を見ないものがある。

しかし、恩納なべは、多情多恨の女であったと思われる。恩納村にいて恩納岳あがたというのは、金武方面か伊芸か屋嘉であろうが、そこにいる恋人は、なべの夫以外の男であろう。なべの夫は恩納村にいて、

「あちやからのあさて里が番上り、谷茶越す雨の降らなやすが」

という歌でもわかる通り、自分の夫が首里に行く時、別れを惜しんでいる。

昔の女は貞操観念がそれほど厳重でなかったものと見え、自分の夫と別れを惜しんでみたり、また恩納岳あがたの恋人の村を引き寄せて見たいと言ってみたりしている。

「恩納岳のぼておし下り見れば、恩納松金の手振りきよらさ」

という歌の松金も、なべの夫ではなく、踊りの名人の手振りにほれこんだもののように思われる。

「恩納松下に禁止のはいの立ちゆす、恋ひ忍ぶまでの禁止やないさめ」

という歌も、なべが如何に自由奔放の女性であったかということがわかる。

自由奔放の女性であり、多情多恨の女性であったればこそ、こういうすぐれた歌を詠むことができたのであって、平凡な女であったら、後生に名を残すような名歌はできなかったであろう。

名所の歌　十二

恩納の万座毛

恩納なべ

波の声もとまれ風の声もとまれ
首里天がなしみおんきをがま

恩納なべの名前が出た時、

「波の声もとまれ風の声もとまれ、首里天がなしみおんきをがま」

という名歌を逸することはできない。

これは尚敬王が国内巡視の折、恩納村の万座毛に立ち寄られた際詠んだもので、実に雄大無比である。いかにも万座毛で詠んだらしくて、所といい、時といい、人といい、何もかもぴったりよく合った名歌中の名歌である。

そうかと思うと、きわめて庶民的な歌もある。

「わすた山原のあだに葉のむしろ、敷かばいりめしゃうれ首里の主の前」

首里の都から来た客人に対してあだに葉のむしろを敷いて招じ入れるということは、ほかの人ならひけめを感じたり、恥ずかしがったりするところであるが、なべは少しもわるびれるところがなく、堂々とあだに葉のむしろを敷いて見せたおもむきがある。この首里の客人は、多分なべの名声を聞いて、訪れて来たものであろう。それでなべも幾分好意を感じたところがあったらしく思われる歌である。

それからいろいろの話が出て、なべの才能を首里の客人がほめた時、

「わ山国習ひの田畑しゆるほかに、のの思のあゆが首里の主の前」

と、けんそんしている。しかし歌の話になると他のことは何事もできないが、歌だけはお聞かせしましょうと、のりだして、

「わ山原習ひのいきやばかりしやべが　弾きめしやうれ歌やのせてしやべら」

と、夜を徹して歌いまくったであろうと思われる。そして終わりに寝る段となると

「山原の習ひや差枕ないらぬ、こなへてすけめしやうれ松の木株」

と、やさしいところを見せている。一代の女流歌人の家に宿った客人は、その夜いかなる夢を見たであろうか。

勝連の島

勝連の島や通ひぼしやあすが
和仁屋間門の潮の蹴やりあぐで

詠み人しらず

〈意義〉勝連の島は、美しい娘達がいるから、通うて遊びたいが、和仁屋間門の潮波が荒いから、徒歩渡りが困難である。

〈解説〉恋人を思う心が深いなら、いくら潮波が荒くても、物の数ともせず渡って行くはずであるが、これは潮波にことよせて行けないとする口実の歌である。

それだから諏訪木ェ右衛門という在藩奉行は、それを風刺して次のような歌を詠んだ。

「和仁屋間門の潮や蹴やりあぐまはも、勝連の島や通ひぼしやの」

これは外来人の歌とも思われない立派な琉歌だ。これほど琉球文化に溶け込んでいたら、その在藩奉行としての功績も、定めて見るべきものがあったであろう。

この歌は、表面おだやかであるが、内には痛烈な風刺がある。沖縄人の恋は情熱が薄い。従って不徹底である。思う人の所へなら、火の中、水の中、少しもいとわないはずだ。潮波の荒いぐらいは何であろうか。恋をするなら徹底的にすべし、遊び半分にするならやめたがよい。何が蹴やりあぐでか…と言っているのである。ごもっともだ。私も同感である。

勝連は、有名な阿麻和利が城を築いた所で、それに関する歌も二、三ある。

「勝連の按司やだんじよ豊まれる、たけほども姿人にかはて」

これは組踊「二童敵討」の最後の場面で、護佐丸の遺児鶴松と亀千代が、阿麻和利に躍りかかって、将に討ち果たそうとする時の歌である。

それから漢那親雲上庸森が、

「うち寄せる波も吹きすぎる風も、あまり恨めゆる音声ばかり」

という歌を詠んでいるが、これは勝連城見物に行った時の歌であろう。あまりというのは阿麻和利の略で、波の声も風の声も、聞く人によってさまざまである。

通水の山

詠み人しらず

通水の山や一人越えて知らぬ　乗馬とくらと主と三人

（意義）通水の山は一人で越えて、誰にも知られずにすんだ。知っているものは乗馬と鞍と主の自分とただ三人だけである。

（解説）通水の山は伊平屋島にある。この歌は尚円王が青年時代、恋人の所へ忍んで行く時、非常に苦心したことを歌ったものと伝えられている。

尚円王は若い時、村人に妬まれて、田畑の仕事をはじめ、あらゆる方面で邪魔をされた。それで恋人の所へ行くにも、他に知られないように非常に用心せねばならなかった。もしも通水の山を越える時、誰かに見られたら、たちまち行く先を知られてしまい、どんな邪魔をされるかわからぬ。

それを天の助けか、誰も知らぬ間に通水の山を越えることが出来たから大喜びで、知っているものは乗馬と鞍と主と三人だけと、小躍りしたわけである。

しかしこの歌にはいろいろの解釈があって、中原幸吉氏の『琉歌物語』には「通水の山を越えて愛人のもとに忍んで行くそのさびしさは、他人が想像できないほどで、山越えが如何に心細く、乗馬とくらと乗者たる自分の他に誰もいないとの意味で、山越えのさびしさを歌った歌詞であります」と言っておられる。参考のため記しておく。

この歌は通水節でうたわれ、次の歌が続いている。

「尾持くかる毛に我無蔵うちのせて、通水の山やよべど越えたる」

尾毛がふさふさと沢山ある赤毛の馬に可愛いわが恋人をうち乗せて、難関の通水の山は、昨夜無事に越えることができた。

とうとう望みをとげて、恋人をわが家に連れ帰った時の喜びはどんなものであったろうか。これは本当に他人には想像もできないことで、この時の喜びは、乗馬と鞍と無蔵と主と四人であったということになるわけだ。

名所の歌　十五

瓦屋つぢ

詠み人しらず

瓦屋つぢのぼて真南向かて見れば
島の浦ど見ゆる里や見らぬ

（意義）瓦屋の丘の上に登って、南方に向かって見れば、島の浦は見えるけれど、恋人は見えない。

（解説）右の意義は一般に言われているところであるが、私はこれに異議をさしはさんでみたい。

問題は里という語である。これには二通りの意があって、恋人という意もあれば、村里という意もある。いつでも恋人ということだけに決まっているわけではない。

ことにこの歌の場合の如く、島の浦と対照的に言う場合は、人間ではなく村里であった方がいいように思う。片一方は大きな島の浦という自然物で、片一方は恋人という小さな人間では、対照がふさわしくない。

片方が自然物であったら、他方も自然物であった方がよく、片方が人間であったら、他方も人間であった方がよい対照となるのである。

そこで私がこの歌を解釈するなら「瓦屋の丘に登って、南方を見れば、島の浦は見えるけれど、恋しいふる里は見えない」としたいのである。それでこそ対照物が不自然でなくなるのではないか。

即ち高麗人張献功の嫁になって、瓦屋に来た小禄村の女には、夫があったでもなく、恋人があったでもなく、従って夫や恋人と引きさかれたのではなく、ただ美人であったがために望まれて嫁入って来たが、しかしふる里が恋しくなって、時々丘の上に登って南方をうち眺めたのであろう。

それを里は恋人に限るとしたために、悲恋物語として、あるいは小説に、あるいは劇や映画に仕組まれるようになったのではないだろうか。

もしそうであったら、陶工の子孫が沖縄には今も沢山いるはずだから、すこぶる迷惑の至りであろう。功労者の陶工夫妻の霊に対してもすまないわけである。

名所の歌　十六

許田の手水

詠み人しらず

昔手にくだる情から出ぢて
なまに流れゆる許田の手水

（意義）昔、許田の村の美しい娘が、大和人（薩摩の武士）の所望によって、許田の玉井で手水を飲ませてやったという伝説があるが、その情の水がいまも昔のままに流れている。

（解説）この歌は詠み人しらずになっているけれど、組踊「手水の縁」の主人公、波平山戸の言葉そのままであるから、作者は平敷屋朝敏ではないかと思う。

美しい娘は、大和人に手水を飲ませてやったのが縁となって、とうとうそのまま大和（薩摩）に連れて行かれてしまったので、村人達は非常に嘆き悲しんで、「どうぞ今後は、この村に美しい娘が生まれませぬように」

と、村の拝所にお願（うぐゎん）をした。そのため許田の村には美人がいなくなり、ミーハガーが多くなったということである。

世の中が変われば変わるもので、いまなら大和人との結婚も大賛成して、喜んで大和へやったであろうが、昔は異人種に異国へ連れて行かれたように考えて、悲しんだものと見える。

しかも今後は、美しい娘が生まれませぬようにと祈るとは、何たるもったいないお願をしたことであろうと惜しまれる。なるほどミーハガー娘ばかりになったら、誰も手水を飲ませてくれと頼みはしないだろうし、大和に行こうと言ってくれる者もいないだろうが、しかしそれでは何と物憂い村のありさまであることか、返す返すも惜しいことである。

ある人の説によると、砂浜に面している村の人間はトラコーマにかかりやすいから、ミーハガーになっているのは、あながちお願のためばかりではないだろうということであるが、評判の高い所だけに、あれやこれやと話の種はつきない。

城岳

神里常徳

あちやの夕間暮れや城岳登て
待ちゆんてやり無蔵に語て呉れよ

（意義）明晩城岳に登って待っているということを、彼女に知らしてくれ。

（解説）昔は城岳も周囲に人家がなく、泉崎あたりの町から遠く離れて、うるさい人目がなかったから、アベックをするのにちょうどよい所であった。

ところが大正の末ごろから、近くに二中ができたり、刑務所ができたり、人家もだんだん増え、このごろでは城岳が遊園地になったと言うから、アベックもできなくなったのではないかと思う。

海が変じて桑畑になったという話があるけれど、城岳の変化も正にそれに類するものがある。

「里が待ちどころ伊佐浜の碑文、里が待ちかねら我肝あまじ」

という歌があって、伊佐浜もアベックで有名な所であったが、ここはいかなるありさまになっているだろうか。

「あにある泡瀬村行くなやうと言ちも、花の本だいもの行かなおきゆめ」

東海岸に回ると、泡瀬村がアベックの盛んな所であった。ここは人気が荒いから、なるべく行くなと老人達はいましめたが、若者達は花のある所、人気の荒いのも当り前の話と、かえって勇気百倍して出かけて行った。

離島を見渡して見ると、

「津堅と久高と船橋かけて、津堅のめやらべ渡ち見ぼしや」

船橋はかけなくても、小舟を縦横に操って、島から島へ、盛んに遊び回ったであろう。

「いった門に待ちゆめ風まやに待ちゆめ、ならば風まややましやあらね」

夕間暮れになると、どこでもこの風景が見られたであろう。

「風まやに待てば風の物いふことならばひら下りて中の毛小に」

どうぞどこでもご自由にと言うべきか。勝手にしやがれと言うべきか。

名所の歌　十八

源河走川

詠み人しらず

源河走川や潮か湯か水か
源河めやらべたがおすでどころ

（意義）源河走川の流れは、潮であろうか湯であろうか、または水であろうか。ありふれた川の流れとは違うようだ。源河の娘達が嬉嬉として人魚の如く泳いだり水浴びをしたりしているのを見ると、ここは浮世の外のように思われて、美しい眺めである。

（解説）中原幸吉氏は琉歌物語の中で「ゆか水か」は湯か水かではなく、「よか水」即ち良い水、真水の意であると、新しい説を出しておられる。面白い説である。源河走川の近くに温泉でもあれば、湯か水かということもうなずけるけれど、そうではなくて河水が日光のため温くなって、それで湯か水かということになったと言い伝えられているそうだが、それはどうも苦しい解釈としか思われない。

それに比べると、中原氏の「よか水」説は傾聴の価値があるように思う。何となればユカッチュとかユカル日とか、よか人よかる日に相当する言葉が沢山あるからである。

しかしそれならば、表記法を厳重にした昔の人が、なぜ「よか水」としないで、「湯か水か」としたのか、そこに疑問が残るのである。この疑問が解明されるまでは、中原氏の新説もしばらくお預けにしておく外はあるまいと思う。

この歌でいま一つ言いたいことは、普通の歌集には、下句を「源河めやらべのおすで所」と言ってめやらべを単数にしているが、比嘉春潮さんの琉歌集には「源河めやらべたがおすで所」と複数にしているのが面白いと思う。

めやらべが一人でひっそりと水浴びしているのでなく、大勢のめやらべ達が思い思いのかっこうで水浴びをしており、あるいは人魚の如く泳ぐのもいたりしているのではないか。その光景の方がいかにもありそうで、そして絵の如く美しく面白く思われるのだ。

名所の歌　十九

思案橋

渡てくやむな思案橋
名付けたる人の心知らば

詠み人しらず

（意義）思案橋を渡る時は、名付けた人の心も考え、よく思案してから渡らねばならない。うかうかと渡って、後で悔んでも仕方がないことだ。

（解説）昔の那覇には仲島、渡地および辻と三か所の遊郭があって、この歌に出ている思案橋は渡地の入口にかかっている橋であった。

この橋を渡ったが最後、大抵の男は魂を抜き取られて正気を失ってしまうから、この橋を渡る時は、よく思案

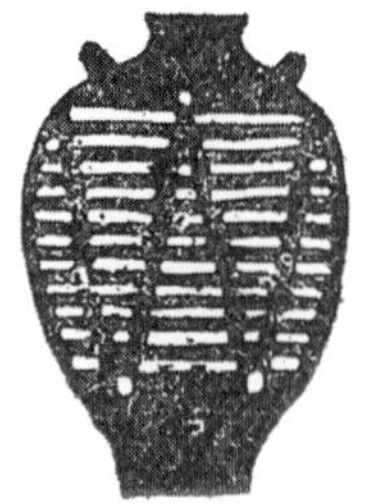

せよと言うのだ。

本土の遊郭の出入口には、見返りの柳と言うものがあって、これは朝帰りの遊客が振り返って見て、きぬぎぬの名残りを惜しむためのものであったが、それに比べると思案橋はきびしい警告を与えるものであった。

けれども肋骨の一本不足した男共は、思案もへちまもあるものかと、どんどんこの思案橋を渡って行って、よもすがらうつつをぬかしているのであった。

しかしながら渡地の特徴は、遊客が主に海の男、船頭達であったようである。

「名護や山原の行きはてがやゆら、なまで名護船のあてのないらぬ」

という歌は、渡地の女郎達が海の男、船頭達を待ちわびた歌である。また、

「渡地づり小のつれなさや、裾切ればかまに肩落て衣着ち、山原船通よゆらだう」

という歌もあった。これは海が荒れ続きで、不景気が続くと、たちまち彼女達の実入りも少なくなり、あわれはかないみじめな姿になるのを歌ったものである。

「渡地の浦やいつも波風か、つなぎおく舟のおてもつかぬ」

ということであったらしい。しかしながら、また渡地を目ざして

「宮古から船出ぢやち、渡地の前の浜にすぐ走りこまち」

と、景気よく急いで来る船がないわけではなかった。

名所の歌　二十

塩屋の煙

与那原親方良矩

宵も暁もなれし面影の
立たぬ日やないさめ塩屋の煙

（意義）別れた人の面影は朝も晩も立たぬ日といってはない。それは塩屋の煙が立たぬ日がないのと同様で、一時片時も忘れることができない。

（解説）組踊「花売の縁」の主人公森川之子をたずねて、その妻の乙樽と一子鶴松が、首里からはるばる大宜味間切の塩屋に向かって行く時の歌である。

この歌の出来たいきさつについては、いろいろの伝説がある。私が聞いたところでは、組踊「花売の縁」の作者高宮城親雲上が「宵も暁もなれし面影の」という上句は自分で出来たが、後の下句がどうしてもできない。そこで与那原親方に相談すると、親方は、

「一夕設けなさい。そうしたら下句をつけて上げよう」

と言ったので、高宮城親雲上が一夕小宴を張ったら、親方が下句の「立たぬ日やないさめ塩屋の煙」とあざやかにつけてくれたという話である。

ところが新崎盛珍氏の説によると、上句も下句も一首全部を与那原親方が作ってやったと言うのである。そのことは新崎氏の『思い出の沖縄』という著書に出ているので、何か確かなよりどころがあったことであろうと思って、氏の説に従い、作者は与那原親方とすることにしておいた。

これは仲間節で歌うのであるが、実に静かなしんみりとした歌曲であって、思わずこの身が大宜味塩屋のほとりに行って、ほっそりと塩屋の煙のさびしく立ち上がるのを見るような心地がするのである。

間世田正信という在番奉行が、

「昔森川のとじのしやるごとに、無蔵が我身とまいて来らなやすが」

という歌を詠んでいるが、単身で来ていた奉行は、しみじみと森川之子がうらやましかったであろうと思う。

住吉の月

美里王子

月やあまこまに眺めてど見ちゃる
浮世すみよしの秋のこよひ

（意義）月はあちらこちらで眺めてみたが、住吉の秋の名月に及ぶものはない。

（解説）住吉は那覇の垣花にある地名だが、その地名の起こりは、昔そこに住吉宮があったからで

「やらざ住吉や風の神だいもの、まとも風たばうれいべのおすぢ」

という歌がある。風をつかさどる神で、航海の時に祈願をしたようである。

美里王子は、この宮のある所で月見の宴を開いたと思われる。どこで眺めても月は美しいが、とくに住吉で眺める月は、一段と美しく感ぜられるのは何故か。それはあたりの風光がすばらしいからだ。

後には筆架山が岩の屏風のようにつらなり、前には那覇港の入江が青い潮をたたえ、御物城を始め岸の家々の灯火の影をうつし、実に夢の如く美しい景観である。

在番奉行の徳田佐平も、

「思童つれて浮世すみよしの、月よ待ちかねる秋のこよひ」

という歌を詠んでいる。思童と言うのは、ここでは年ごろの娘をさして言ったのであろうと思う。

首里、那覇では、田舎で言うめやらべという言葉はなく、その代わりに思童という言葉を使ったようである。時には本当の子供に言うこともあるが、子供は浮世住吉で月の出るのを待つ興味はあるまい。

佐久本喜章と言う人は、

「浮世住吉の松だいんす冬や、嵐吹く音と朝夕聞きゆる」

という歌を詠んでいる。世人がいかにすみよしと言っても、冬になればさびしいものだ。いつもいいことばかりではない。世上人事万般そうではないか…という風に思わせるものがある。

しかし浮世は住み難いものだと思われているのに、ここばかりは名前がよくて「浮世住吉」と続けて歌の文句にされているのは、とにかく面白い所である。

汀間の浜

神谷厚詮

汀間と安部境の河の下の浜に
無蔵とふやかれの百のくりしゃ

（意義）久志間切の汀間と安部の境にある河の下で、恋人と別れるのがつらくて、悲しみのどん底に沈んだ。

（解説）恋人と言うのは、丸目かなといって、村一番の美人であった。神谷は村の青年達の眼をさけて、花すすきのゆれる浜辺で、丸目かなと恋を語る仲となった。もし誰かに見られて評判になったら、身の破滅となる。だから二人の恋は命がけであった。

それで神谷は、

「情あてかくせ野辺の花すすき、二人が玉の緒の惜しさあらば」

という歌も詠んでいる。

丸目かなは、村の金持ちの家に年期奉公の身の上であったらしく、神谷は来年は身請けしに来るから、それまでは勤めて待っていてくれと別れるのであるが、これがたちまち村の青年達に知れて、

「汀間と安部境の河の下の浜下りて、汀間の丸目かなと請人神谷と恋の話」

という歌が作られ、これが「汀間と節」という俗謡となって、大流行するようになった。

ある本に「兼下の浜」となっているので、私は久志役場に手紙を出して問い合わせてみたが、何の返事もなかった。そこで隣村の金武出身の奥間徳一氏に問い合わせてみると、同氏は「田舎では井戸を中心として地名ができ、井戸より高い所を河の上と言い、低い所を河の下と言うから、ここも河の下と言う地名ができているのであろう」という返事を下さった。

それから東恩納先生の『南島風土記』を見ると、やはり「かのしたの浜」になっていた。それで久志村からは何の返事もなかったが、私は安心して「河の下の浜」ということにした。久志方面の人が、もしもこの一文をご覧下さることがあったら、何れが正しいか、教えて頂きたくお願いする次第である。

名所の歌　二十三

とどろきの滝

田崎朝用

落てるみなかみの果てや知らねども
浮世とどろきの音の高さ

（意義）落ちたぎる滝のみなもとはどこか知らないけれど、世間にとどろいてよく知れわたっているとどろきの滝は、その名のように音が実に高い。

（解説）とどろきの滝は、名護の数久田にある。実際は比地の大滝（国頭）が沖縄一であるけど、それはあまり知られていない。

とどろきの滝と言う名前は、その落ちる音の高いのと、それから沖縄中に知れ渡っているという両方の意味があるかも知れない。

修学旅行生達にとっては、許田の手水などより、はるかにここが面白いであろう。子供達ばかりでなく、大人達も夏はここに押しかける。

松田賀烈という人が、

「夏も与所なしゆさ浮世名に立ちゆる、数久田とどろきの滝のふもと」

という歌を詠んでいる。実際、どんな暑い夏の日でも、この滝のふもとに来て立つと、夏をすっかり忘れてしまう。

「おしつれて夏や世間とよまれる、数久田とどろきに遊びほしやの」

これは詠み人しらずであるが、何となく女性の歌らしいような気がする。男は一人で行って、一人で眺めて、一人で遊んで帰ることもあるが、女は押し連れて行きたがる。月見をする時でも、「でかやうおしつれて眺めやり遊ば」と言う。誰かと一緒に行って、面白いとかうれしいとか、話もしたいのである。

それで景色のよい所などで、男性が一人で眺めている光景はよく見かけるが、女性が一人で遊んでいる光景はあまり見られない。女性同士か、あるいは思里と一緒であるかである。

あだしばなしはさておき、名護には見る所が多い。「白い煙と黒い煙の碑」ができて、またまた名所が一つふえたようである。

泊高橋

泊高橋になんぢゃじは落ち
いつが夜のあけてとまいてさしゅら

詠み人しらず

(意義) 泊高橋に銀のかんざしを落してしまった。いつ夜が明けて捜し出すことができようか。早く捜し出して挿したいものである。

(解説) 愛人が泊から舟に乗せられて島流しされたのを悲しんだ歌だと伝えられている。一説には革命を起こそうとして捕えられ、安謝の浜で処刑された平敷屋朝敏の子供が先島に流された時、その舟の出た泊港で子供の母、即ち朝敏の妻が詠んだ歌だとも伝えられている。

いずれにせよ、落したのは銀のかんざしではなく、それ以上に非常に大事な人であったことは想像される。高橋節で歌われる歌で、曲はちょっと聞くと陽気であるが、内容は悲哀の情がある。

男のカタカシラに挿したものはカミサシと言って、これはかんざしの原語で、意味がよくわかるけれど、女の髪にさしたジーファー即ち「じは」は意味がよくわからない。山田有功氏は、野村流音楽保存会から出した『琉球音楽』の中で「頭華の意か、それとも銀華か」と言っておられるが、私は何かの本で「ぎは」と書いたのを見たおぼえがあるので、銀華の方をとりたいような気がする。

ところがジーファーは、必ずしも銀に限らず、クガニジーファー（黄金かんざし）もあれば、またキージーファー（木のかんざし）もあるから、一概に「銀華」とも言えないようだ。頭華もどうかと思う。しばらく研究問題としておきたい。

平敷屋の妻で思い出すことは、

「高離島や物知らし所、にや物知やべたんわたちちたばうれ」

という歌である。

中原幸吉氏が『琉歌物語』に詳しく説明しておられる。ただし「たばうれ」を「たぼれ」と書いておられるが、これは「たばうれ」が正しいので、訂正された方がよかろう。

中城城跡　　　　　　　　国頭親方朝斉

とよむ中城よしの浦のお月
みかげ照り渡てさびやないさめ

（意義）評判の高い中城城跡から眺めると、よしの浦の月の光が美しく照り輝いて、この天下は平和に円満に治まり、何の障りも災いもあるまいと思われる。

（解説）とよむは、とどろきひびく、鳴りひびく、評判されるという意。よしの浦は屋宜の浦のまたの名。さびは、障りとか災いとかいう意。この歌は中城城跡から眺めた雄大な景色を、洗練された語調でうたわれたもので、非常に立派な歌である。もしも中城城跡に歌碑を建てるなら、この歌など最もふさわしいと思う。

しかし中城城は護佐丸と切り離して考えることはできない。その歴史的回顧の方面から見ると、

「いちごさん丸のありし世の昔、なまに照りうつす月の鏡」

という護得久朝常の歌があり、また

「世世の世世とゝめ沙汰のないぬおきゆめ、いちごさん丸の義理の誠」

という詠み人しらずの歌もある。いちごさん丸は沖縄一の護佐丸とか、いつまでも沙汰される護佐丸とか、あるいは御三男であった護佐丸とか、いろいろの意味が含まれているらしい。沖縄一とかいつまでも沙汰されるとかいうことは、その通りであるが、果たして三男であったかどうか、これは確かめようとして、まだ確かめていない。果たして事実かどうか。

小橋川筑登之の歌に、

「月日ある間や光ないぬおきゆめ、たとひ荒れはてて野山なても」

というのがあるが、これは中城城跡の荒れ果てた光景を見て、嘆いてみたり、将来の希望をうたったりしたものだが、今日立派な遊園地になって、大賑わいを呈しているのを見ると、古人の希望が生かされたような気がして、世の中はどうなって行くか、全くわからないという感を深くする。

仲里の花　　　　　　　　　　詠み人しらず

聞けば仲里や花の本てもの
咲き出らば一枝持たちたばうれ

（意義）仲里は花国で、美しい花が沢山あるそうだから、咲き出たら一枝送って下さい。

（解説）花と言うのは、もちろん植物の花ではない。人間の花である。すなわち美人のことだ。仲里は美人の多い所だという評判だから、きれいな娘を一人世話して下さいという歌である。一般に仲里は久米島の仲里と思われているが、この仲里は伊是名島の仲里である。関連した歌があるから、次にあげてみよう。

「**諸見や首里親国仲里や田舎、田舎山国や花や咲かね**」

諸見は伊平屋王がなし尚円が生まれた村で、首里親国のように一番華やかである。それに比べると仲里は田舎山国のようなものだとけなされているが、しかし仲里は花の本てものと歌われている通り花が咲かないわけではない。一度仲里に来てよく見ていただきましょうと主張しているのである。

それからもう一つ、

「遊び諸見仲田花や真勢理客、仲里の後どお行会どころ」

という歌がある。遊びの点から言えば、諸見と仲田がみごとであり、花の点から言えば、即ち美しい娘達が沢山いる点から言えば、勢理客に及ぶ所はない。

しかし、だからと言って、仲里もまんざら捨てたものではない。仲里の後には景色のいい所があって、そこは恋人達が会って、親しく話をするのに最もふさわしい所である。

つまり伊是名島の諸見、仲田、勢理客、仲里はいずれもそれ相当に自慢するに足るものがあることをうたっているのである。お隣の伊平屋島の田名と共に、負けず劣らず、めやらべ達が美をあらそい、踊りをあらそい、評判を高めたようである。

伊平屋列島は、昔から非常に面白い所であったように思われる。

仲島　　　　　　　本部按司朝救

思きやけもすらぬ年の寄て渡る
仲島の小橋命さらめ

（意義）年とってから仲島の小橋を渡ろうとは、全く思いかけぬことであった。命があったればこそである。

（解説）仲島は有名なよしやがいた所で、渡地、辻と共に那覇の三大遊郭であった。そうしてこの仲島の入口には、仲島の小橋と言って盛んに歌に詠まれた石の小橋があった。これが恋のかけ橋となった。

本部按司の歌を見ると、西行法師の歌が思い出される。

「**年たけてまた越ゆべしと思ひきや、命なりけり小夜の中山**」

これは無論遊郭とは何の関係もない。世捨人の西行であるから、色恋には何の興味もないが、小夜の中山には夜泣石と言うものがあって、天下の名所である。その名所を再び見ることがあろうとは思わなかったという述懐である。

仲島は、後に衰えて辻に及ばなくなったが、その盛大の頃には、按司や王子などもよく遊びに行ったらしく、浦添王子朝熹（ちょうき）にも次のような歌がある。

「**誰がかけておきやが花の仲島に、ふみ迷て行きゆる恋の小橋**」

と言って、浦添王子は本当の王子、つまり王の子の王子ではなく、ウクレーワウジ（お位王子）と言って、勲功があったために王子の位を贈られたもので、この人は摂政の大役にもついた人である。香川景樹と師弟の縁を結び、和歌もよくした。

仲島に関する歌は非常に多い。その中で、

「**辻や花盛り渡地やわたて、恋や仲島の浦のとまり**」

という歌を見ると、各遊郭の特長がよく現われている。辻は華やかにじゃんじゃん騒ぐ所、渡地はただ渡って行って見るだけの所、それに比べると、仲島は恋の小舟をつなぐ最後のとまりとなる所である。

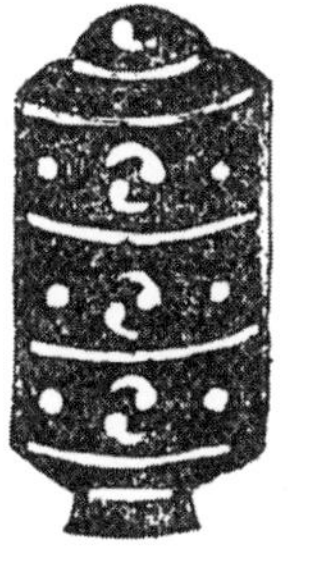

名所の歌　二十八

今帰仁の城

詠み人しらず

今帰仁の城しもなりの九年母
しけま乙樽がぬきやりはきやり

（意義）今帰仁城主の愛妾しけま乙樽が、しもなりの九年母を胸にかけたり飾ったりしている姿は見物である。

（解説）しもなりはうらなりのことで、大抵貧弱である。ここでしもなりの九年母と言うのは、実は若按司のことであるが、いくらうらなりのような貧弱に生まれた若按司でも、乙樽は自分が生んだ子であるから、非常に大事にして、それがうわさの種となった。

土地の古老は「ぬきやりはきやり」ではなく「ぬきやげささげ」であると言っているそうである。その方が大事にしている様子を、よく言いあらわしている。

それから、しもなりと言うのは末子という意であり、乙樽の自分の生んだ若按司ではなく、按司の本妻の生んだ若按司で、それを大事にしておるのが賞すべき行為であるという諸説がある。

今帰仁城は高い所にあるが、それがなお高ければよいとうたった女性の歌もある。

「今帰仁の城なへ高さあれば、里前まゐる大和見ゆらやすが」

今帰仁の城がもっと高かったら、私の大事な方がいらっしゃる大和も見えるはずだが、と嘆いているこの女性は、高い所に登るといつでもすぐ大和の方を眺めたのが思いやられる。

大和に行っている里前もまた、大和でいくら美しい女の人を見ても、少しも心を乱されず、暇さえあれば高い丘に登って、沖縄の方を眺めているのであろう。

在番奉行関勇助が、

「今帰仁居りや肌寒さあたす、うらそへてたばらちぬくくなたさ」

という歌を詠んでいるが、これは冊封使が来ている間、今帰仁に隠れている処へ、首里の友人から着物を送られ、もう浦添まで来ていてもよかろうという便りに接して詠んだものである。

名所の歌　二十九

名護の大兼久

詠み人しらず

名護の大兼久馬はらちいしゃうしや
舟はらちいしゃうしや我浦泊

（意義）名護の大兼久馬場は、広々として眺めのよい所にあって、馬を走らして壮快であり、また馬場の前にある名護の浦は、舟を走らして愉快である。

（解説）陸には競馬、海には競漕、共に華々しい競技であったが、今は共になくなってしまった。

その代わり、昔の馬場の跡には新しい陸上競技場ができて、九州大会が催されるということである。そうなれば海上にもやがてヨットが走るようになって、昔のように水陸共に華々しい競技が繰り広げられることになろう。

「名護の番所だんじよ豊まれる、松とがじまるのもたへさかへ」

これもまた評判の高いものであった。松とがじまるが、ただ茂り栄えたというだけでなく、がじまるは松に抱きつき、からみついて珍しい格好をしていたろうと思う。二本の木が漫然と立っていただけでは、面白くもおかしくもない。

「名護の番所ただいまの羽書、我身持たち給うれ我無蔵見やがな」

これは少し注釈がいる。ただいまの羽書と言うのは、大至急の手紙と言う意。我身持たちたばうれは、私に持たせてやって下さいという意。即ち名護の番所に大至急の書信を持って行かねばならぬが、その役目はどうぞ私に仰せつけて下さい。名護には私の恋しい彼女がいるから、彼女を見がてら、私は喜んでこの難儀な仕事をお引き受けしますという、虫のいい願いである。

名護の娘は情深いから、少しでも馴染みになったら、忘れることはできない。

「浦浦の深さ名護浦の深さ、名護のめやらべの思い深さ」

名護のめやらべは、思いが深いだけでなく、段段畑で働くためか筋肉もひきしまって、きりっとした顔形の娘が多かった。

名所の歌　三十

波の上の月

神村親方

昔眺めたる波の上のお月
なまに面影の照りよまさて

（解説）波の上は観月の名所である。殊に「今日のお月やひるのごと」と俗謡にもうたわれているような名月の晩は、月を眺めるべきか、人を眺めるべきか、いずれが是なりやと迷うほど混雑を極める。

中には「裏座や暑さの居られらぬ」と言って、抜け出して来たと思われるような人間の花もちらほら見える。

城間恒久と言う人が、

「でかやう思童波の上にのぼて、月見しち遊ば十五夜だいもの」

という歌を詠んでいるが、この思童というのは、いかなる思童であったろうか。首里那覇では、めやらべという言葉の代わりに、思童という言葉を使うけれど、それは本当の子供に言う場合もあるし、花の乙女に言う場合もある。ここは後者のように思われるが、場所が場所だけに、普通の花の乙女かどうか、一応疑問の目が向けられる。

岸本賀雅と言う人は、

「でかやう思童波の上にのぼて、天の川わたるみ星をがま」

という歌を詠んでいる。これはいささか宗教的である。み星を拝むというのは殊勝なところがなきにしもあらず。だが、天の川を渡るみ星を拝むのは、月夜ではなくて、暗夜でなければできない。暗夜にわざわざ思童をつれて、波の上にのぼるのは、これも一応疑問の目を向けたくなる。いやいや疑心暗鬼、痛くもない人の腹を無闇に探るべきではなかろう。

小禄按司朝恒の歌に、

「静かなる御代や月も海原の、波の上にうつる影のきよらさ」

とあるが、この場合の波の上は海原の実際の波の上であって、それを地上の波の上から眺めて詠んだところに一種の味わいがある。

西森の小松

上江洲由具

浮世名に立ちゅる西森の小松
千代の色深くなだるきょらさ

（意義）首里の西北にある西森は、景色のよいことで世に知られており、高台に並んでいる松林は千代の色をふくんで美しい。

（解説）西森は首里八景の一つで、昔の小学生が「一びょうを携えて杖をひく」という老人みたいなような作文を書いて、得意になっていたことが思い出され、懐かしい所である。首里八景は、いまは跡形もなくなったであろうが、新崎盛珍氏の『思出の沖縄』を見ると、次の八つがあげられている。

弁嶽の稲翠　雨乞の春晴　円鑑池の蓮　竜潭の夜月
虎山の松涛　崎山の竹垣　西森の小松　万歳嶺夕照

弁ケ嶽は俗に大たけと称して、

「玉のみらぢすでるかわの御いべつかさ」という神を祭ってある。ここは旅の行き帰りにお願（うぐわん）をした所である。

「**弁の岳お岳願立てておきゅて里前、まうちまうらは連れてほどか**」

純情な妻の歌である。夫人が旅に出る時、弁の岳にお願をしておいて、夫が帰られたら一緒に連れ立ってお礼参りをしようと言うのである。ほどかはウグヮンブトチをしようという意。

雨乞いは、崎山の南端にある断崖絶壁の上の高台で日照りの時、

「**雨たばうれ竜王がなし　竜王がなし雨たばうれ　おまんちゅそろて願やべる**」

と、円陣を作り、鼓を打ちながら歌ったものである。大変景色のいい所で

「眺めてもあかぬ野山うち続き、みどりさしそへる春の景色」

という詠み人しらずの歌がある。

竜潭の夜月については、伊江朝真の、

「**名に立ちゅる今宵池の玉水に、さやか照りわたる月のみかげ**」

という歌がある。

西森の小松（続き）

はちす葉におきゅる露の玉ごとに光り照りうつる十五夜お月

円鑑池と言うのは弁財天堂のある池のことである。池の一面に、赤や白の蓮の花が咲きほこっている時は、とてもみごとであった。弁財天は美人でいらっしゃるので、女性が拝めば美人になれるし、男性が拝めば美人の妻を得られるというので、若い人達がこっそり拝んだものである。しかし男女一緒になって拝んではならぬという話があった。

「はちす葉におきゅる露の玉ごとに、光り照りうつる十五夜お月」

という詠み人しらずの歌がある。

虎頭山は赤平、久場川、汀志良次三村の境にあり、眺望絶佳、歌の名所として知られた。その形が虎に似て、頭に当たる所には大きな岩があった。松の林の上に月が出た時は、誠に美しい眺めであった。

「虎頭松山の松の葉のかずに、かけて願やべら首里のお果報」

美里王子の歌であるが、今度の戦争で、首里のお果報もこの山もすっかり吹き飛んでしまった。松の葉のかずにかけて願うより、

「おてだ月がなし、この世照る数にかけて願やべら首里のお果報」

と歌えば首里も亡びないですんだかも知れない。

万歳嶺は、有名な観音堂のある所で、丘の上の眺めは、慶良間の島々をはじめ、東支那海の青海原が広く見渡されて、形勝絶佳であった。ここは夕照が殊に美しく、

「赤てだとつれて観音堂のぼて、見れば海山やお酒あがて」

という大宜味親雲上の狂歌が面白い。海も山も天地赤一色まことに壮観である。

崎山の竹垣と言うのは、崎山馬場の両方の家がすべて竹垣をめぐらし、風流の趣きがあった。

「竹垣の内に布織ゆる無蔵や、誰が衣がやゆら尋ねやり見ぼしや」

馬場の中央辺に面して、崎山の村学校があった。カタカシラを結っている青年達が学問をした所である。

比謝橋

恨む比謝橋やわぬ渡さともて
情ないぬ人のかけておきやら

よしや

（意義）恨めしい比謝橋は、私を渡そうと思って、無情の人がかけておいたのであろう。この橋があるために、私はこの橋を渡って仲島に売られて行く。何という恨めしい橋であろう。

（解説）比謝橋は景勝の地である上、よしやのこの名歌があるため、ここに遊ぶ人は、深い感慨を催さずにはいられない。沖縄百景を選ぶ時は言うまでもなく、沖縄三景とか、あるいは沖縄八景とか小数の名勝を選ぶ時にも入選するであろう。

よしやの歌はこの比謝橋の歌を始め、全部で二三首あるが、ほとんど全部が何か謂れ因縁のある歌である。

比謝橋を越えて、嘉手納の松並木にさしかかった時、蝉がけたたましく鳴いたので、父親が、

「あ、可哀想だ、かまきりにかみつかれている」

と言うと、よしやが早速

「驚きやめあささ食わゆんでやあらぬ、かなしさのあまり抱きど見ちゃる」

と歌うと、かまきりが蝉を放してやったという話から始まって、仲島に行っても、はじめはどの娼家でも、よしやの山出しの姿を見て相談に応じようとしないので、

「寄るべないぬものやあまの捨小舟、つく方ど頼むつなぎ給うれ」

と歌ったら、あんまがびっくり感心して、すぐ抱えたという話である。後の名花もつぼみの頃は貧弱であったと見える。

十七、八になって初めて客に接した時、あんまが心配していたので、

「あらはぎの舟に嘉例吉の乗衆、よべの夜走らしや波も静か」

と詠んだというが、これはあまり露骨で、よしやの作ではあるまいという説もある。よしやが売り出して、だんだん評判が高くなると、いろいろの歌物語が始まるのであるが、比謝橋とは関係がないから他日に譲る。

平安座潮渡　　　　　　　惣慶親雲上

見れば恋しさや平安座女童の
けあげゆる潮の花のきょらさ

（意義）見れば恋しいことよ。平安座めやらべが、蹴上げる潮の花がきれいだ。

（解説）実に美しい情景だ。これは平安座と屋慶名の間が、潮が引くと遠浅になって、徒歩渡りができるので、平安座のめやらべ達が、喜々として潮を蹴上げながら渡っている光景をうたったものである。

この歌を見て、思い出されるのは、

「**豊む謝名もえが謝名上原のぼて　けあげたる露の玉のきょらさ**」

という歌である。これは察度王を賛美した歌で、いかにも壮快であるが、しかし露の玉を蹴上げた光景より、潮の花を蹴上げた光景の方が、美しくほれぼれとするのは争われない。本当に見れば恋しやという感が、おのずから湧き上がるのをおぼえる。

昔久米の仙人は、田舎の小川で洗い物をしている若い女の白い足を見て、神通力を失って、天から落ちて来たということであるが、その久米の仙人が、平安座めやらべ達の潮を蹴上げる白い足を見たら、今度は海に落ちて来るであろうと思われて愉快である。

平安座と屋慶名の間は、潮が満ちてくれば、舟で渡るのであろうが、それよりは潮が引いて、徒歩渡りする時の方が面白そうだ。舟で渡る所はどこにもある。

万葉集に、

「あごの浦に舟乗りすらむ乙女らが、玉裳の裾に潮満つらむか」

という柿本人麿の歌があって、これもその情景が見えるようで、美しい感をおぼえしめる。

しかしこの場合は、浅瀬に着いている舟に乗るため、極めてわずかの距離を、裾をからげて渡るのであるから、潮の花を蹴上げるまでには至っていない。してみれば惣慶親雲上の歌は、柿本人麿の歌よりも美景だと言えそうだ。

三重城

詠み人しらず

三重城にのぼて打ち招く扇
またも巡り来て結ぶご縁

（意義）三重城にのぼって、出帆の船に向かって打ち招く扇は、またもめぐり会うご縁を結ぶよすがとなるものである。

（解説）三重城は、那覇港の入口に築かれた海賊襲来を防ぐための砲台であったが、後は出船入船の送迎場となった。

扇で打ち招く人達は、いずれも男で、頭にはハチマキという冠をかぶり、腰には大帯を巻きつけた親方とか親雲上とか、身分のある人々である。

「三重城にのぼて手さじ持ちやげれば、はや船のならひや一目ど見ゆる」

この歌の場合は、見送り人が若い乙女である。手さじを振る風情が見物であったろうと思う。これは舞踊に仕組み、花風節という歌曲で、若い乙女が舞台で踊るようになっている。手に藍紙傘を持ち、肩には花染めの手さじをかけ、髪には輝くナンジャジーファーをさし、ムルドッチリの着物を着て、ウシンチーをしているあでやかな姿、琉球ならではの趣きがある。

ことにその踊りの終わりの方で、

「朝夕さもお傍拝みそめなれて、里や旅しめていきやす待ちゆが」

と、孤独の情を訴えるあたり、アギヌフリムンは、どうしていいかわからなくなる。鼻の下の長いあたりをおさえて、イーチマディするかと思われる。

三重城で見送りするにもいろいろの型があって、以上あげた種類のほかに、

「手さじ持上げれば匂所の目のしげさ、かしらとりなづけ手しやり招け」

というのもある。これは公然と見送りできる仲ではなく、こっそり人目を忍んで、別れを惜しむ方である。

そうかと思うと、近ごろは、

「モーキテ、クーヨー」

と殺風景な声を出す者もいた。

むざ水

詠み人しらず

大田名の後にむざ水のあゆん
夫振ゆる女おれにあみせ

（意義）伊平屋島の大田名という村の後に、むざ水という池がある。夫を振る女は、その池で水浴びをさせたらよい。そうすると夫を大事にするようになろう。

（解説）大田名と言うのは、田名と言う村を歌の場合に特に称した名前であろうと思う。むざ水と言うのは、大雨の後にも増水せず、ひでりの時にも減水しないという不思議な池で、この池の出来たそもそも初めの話というのがこれまた珍しい。

昔、漁に出た夫が台風に遭って行方不明になった時、その妻が海岸の岩の上で布を織りながら、毎日夫が無事に帰るのを待った。むざ水は、その時妻が流した涙のたまって出来た池である。いくら待っても帰らないから、毎日涙が流れて、それがとうとう池になったのである。

「もうお前の夫は帰らないよ、おれの妻になれ」

と言う男も沢山いた。親子兄弟も再婚をすすめた。しかし妻は夫がどこかに泳ぎついて生きていると信じて、夫の帰りを待っていた。妻の真心が天に通じてか、三年目に夫が無事に帰って来た。

それから夫を振って大事にしない女は、このむざ水の池にあみせということになった。

それについて思い出されるのは、羽地の海岸の近くにある夫振岩のことである。海岸から半里くらい沖の方に、航空母艦みたいな岩が、海に浮かんでいる。

羽地では、結婚しても夫を振って一緒に寝ようとしない女がある場合には、新夫婦を舟に乗せて、その夫振岩に置き去りにする。

そうすると、初めはがんばって夫の言うことを聞かない妻も、後には言うことを聞き、陸に信号して迎えの舟が行くようにしたという話である。事実かどうか、現地の人に聞きたいものである。

名所の歌　三十七

銘苅の松

詠み人しらず

あまりしやる人の音信や一期
松に吹く風の名残り立ちゅさ

（意義）天から下りた人のおとずれは、いつまでも永久に、松に吹く風がその名残りを立てているようで、人々に昔のことを思い出させる。

（解説）銘苅には天女が下りて、髪を洗ったという井戸があり、また羽衣をかけたという松があり、その近くに銘苅御殿と言って、銘苅子の子孫が住んでいたという家があった。

この伝説は、根も葉もないような作り事ではなく、いく分似たような事実があったらしく、玉城朝薫がそれを組踊に仕組んで、五番の一としてお冠船の国劇に上演し、以来いまでも機会あるごとに上演され人気を博している。

面白いのは、組踊の銘苅子と、能の羽衣とを比較してみることである。三保の松原の白竜は、天女の舞を見て、たやすく羽衣を返してしまったが、銘苅子はねばり強くがんばって、とうとう天女をわが家につれ帰り、夫婦の縁を結んで、二人の子供までもうけた。

男たるものは銘苅子のように、積極的に働きかけるのが、女性に対する作法であって、白竜のように天女がせっかくその傍まで行ってやっても何もせず、空しく戻してやるというのは、天女もさだめてはがゆかったであろうと思う。銘苅子は、天女が天に帰って後も幸福の思い出が残り、

「夢やちゃうも見だぬ百果報のつきやす、あの松とかはのゆえどやゆる」

と感謝し、また、

「百かはのあればあの松とかはや、昔くり戻ち見ほしゃばかり」

とうたっている。銘苅子は実にしあわせな男であった。男たるものは、銘苅子に学ぶべきである。

「世世に沙汰される天の羽衣の、名やいつも朽たぬ松に残て」

宜野湾朝祥の歌で、やはりこの間の消息をうたっている。

本部崎

詠み人しらず

あれや本部崎これや名護曲り
近くなて見ゆる城東江

（意義）あれは本部崎、これは名護曲り、そうして城と東江が近くに見える。

（解説）地名を並べただけで歌になるとは、これはどういうことであるか。実に不思議と言えば不思議、奇妙と言えば奇妙。

しかしよく考えてみれば、そのわけがわかる。北部地方は景色が実に美しい。名前を並べただけで詩になる。あれは本部崎と言えば、美しい本部半島が絵のように見

えるし、これは名護曲りと言えば、変化に富んだ名護の七曲りが眼に浮かぶし、そうして近くには城と東江の部落が福木に囲まれて、平和と幸福に満ちているようにのどかな景色がくりひろげられる。

北部地方には、こういう風に地名を並べただけで、立派な歌になる所が多い。

「あれや屋我地森これや崎本部、近くなて見ゆる花の湧川」

これはあまりに真似すぎていて面白くないと言う人があるかも知れない。しかし他の地方ではその真似さえできるかどうか怪しい。

真似が嫌いな人には、真似でないものだって、いくらでもお目にかけることができる。

「渡久地からのぼて花の本辺名地、遊び健堅に恋し崎本部」

これなど実に秀逸である。途中の光景が見えるようであるし、各部落の特長なども織り込まれているから大したものである。何となく心がひかれる。

「名護からや羽地伊差川や一里、真喜屋兼久までや二里のつもり」

これはどういうことか、それだけの道を歩いたということか。いやいや、そんな味も素っ気もないものではない。なかなか意味深長。

名護の恋人よ、私達の村に遊びにいらっしゃい。伊差川までは僅か一里ですよ。真喜屋兼久だって二里しかありませんよ。どうぞ来て下さい。お待ちしています。

名所の歌　三十九

薬師堂の浜

詠み人しらず

あはぬつれなさや薬師堂の浜に
とりと諸共になきよあかち

（意義）恋人に会うことができないで、薬師堂の浜にとうとう鳥と共に泣き明かしてしまった。

（解説）渡地の遊郭に行くには、思案橋を渡って行く道と、この薬師堂の浜伝いに行く道と両方あった。金のある者は、思案橋の方から思案のいとまもなく、どんどん渡って行ったものだが、金と力のない色男は、薬師堂の浜に相方が出て来て会ってくれるのを待っていた。

相方に客があって出て来ない時は、夜通し浜の千鳥と共に泣き明かす哀れさであった。

「誰よ恨めとて鳴きゅが浜千鳥、会はぬつれなさや我身も共に」

この歌も、多分この薬師堂の浜で歌われたものであろうと思う。

ところが、これは子持節の曲で歌うようになったので、恋人に会えぬ悲しみとは反対に、子供を失った人の悲しみを歌ったものと思われるようになった。

しかし子供を失った悲しみというものは、仏壇を前にして「まことかや実か」となげきくらす悲しみであって、薬師堂の浜などに出て、「会はぬつれなさや我身も共に」などというような、そんななまやさしいものではない。

だから、薬師堂の浜は子持節を歌う所ではなく、仲風節や述懐節を歌う所である。従って「誰よ恨めとて」の歌を子持節に入れたのは、作曲家の曲想にぴったりよく合ってそのために入れたのであろうが、その内容は必ずしも子を失った歌ではないように思う。

浜はとにかく人に物を思わせる所である。見る人もいないので、泣くにはもっとも適している。

「浜の浜なげしわが呼びやいなきも、のよで一言もいらへすらぬ」

これは高離節の歌であるが、浜が高離島の浜であるとすれば、平敷屋朝敏の妻の悲嘆であろうか。

名所の歌　四十

屋古田港

国頭親方

恋し屋古田港しなさけはかけて
いきやす塩屋港渡て行きゆが

（意義）屋古田港に愛人ができて、互いに深く相思うようになった。この恋しい屋古田港と別れて、どうして塩屋港を渡って行くことができようか。

（解説）屋古も田港も、ともに大宜味にあって、組踊「花売の縁」に出て来る薪取が、「あの港前なちをる村や、塩屋田港んでいやべいん。諸回船所の事やれば、那覇泊島々浦々の商売人大層至極、色々の物、売たり買うたり、また諸方の旅人のだんだんの芸能、なかなかにぎやかな所だやべん…」と言っている言葉で、その村の状況がわかる。

組踊には「塩屋田港」と言っているけれど、屋古が隣にあるから「屋古田港」とも言ったとみえる。それはたとえば、「首里那覇」とも言えば「那覇泊」とも言ったようなもので、隣同士は、互いにくっつけて言ったものである。

　国頭親方はこの屋古田港に、はじめはただちょっと立ち寄っただけであったろうが、そこに思いがけず、鄙（ひな）にはまれな美しい娘がいて、たちまち相愛の仲になったらしい。そうしていつまでも別れかねて、「いきやす塩屋港渡て行きゆが」と嘆いたのであろう。

　昔は首里の役人が行く所、その村の美しい娘達が先を争って接待したようで、接待するうちに深い愛情で結ばれ、別れる時はあちらこちらで悲劇が起こった。中にはユーベー（第二夫人）となって、首里に来た者もあった。

　そういう例は、先島に最も多くあったらしい。子供などできて、親あんまと言われた。

「あがと沖縄とこがとの八重山と、肝のふれものや縁ば結で」

という歌があり、また、

「旅の主はなまからや沙汰もすなやう、染付けんとめばのきどいまゐる」

というような歌がある。

与那の高坂

詠み人しらず

与那の高ひらや汗はてどのぼる
無蔵に思なせば車たう原

（意義）与那の高い坂は、汗水を流して登る大変難儀な坂であるが、いとしい恋人と思えば、砂糖車をまわす所のような平坦な原っぱであって、少しの苦しみもなく楽なものとなる。

（解説）国頭にある与那は沖縄一の高い山で、これに登る坂がどんなに苦しいものであるか、想像にあまりがある。しかしその高い坂でも、恋人と思えば心機一転、平坦な道を行くようで、何の苦しみも感じられない。

恋人を思うということは、実に楽しいものである。いつでも難儀な苦しい目に出会ったら、すぐそれを恋人と思えばよい。そうすると苦しみ転じて楽しみとなるから、世の中に恋人ほどありがたい大事なものはないわけだ。

「津堅渡の渡中汗はてど漕ぎゆる、無蔵に思なせばちゆおわいくなから」

という歌もまた同様で、津堅から与那原に渡る時、あるいは勝連その他の本島へ渡る時、とても難儀で、舟を漕ぐ腕が折れるような苦しみである。しかしその長い渡りも恋人を思うと、ひと漕ぎで渡ってしまう。摩訶不思議、男共が無蔵を思う力は、はかり知ることができない。

近ごろの人間は、仕事を恋人のように思う者はいないで、いつでも賃金の上がることばかり考えている。それで賃金が安いと言って、年中ストライキばかりやって、やれ職場大会だ、やれ実力行使だ、やれ座り込みだ、やれピケだ、何だかんだと騒いでばかりいる。

もしも沖縄の昔の人のように、「無蔵に思なせば」と言って働いたら、たちまち仕事は楽しくなり、ストをするのが嫌になり、働いて働いて、賃金が上がるのは嫌だと言っても上げられ、お金は欲しくないと言っても、どんどん増えてくるに違いない。

与那原の島

詠み人しらず

与那原の島やだんじょ豊まれる
上与那原こしゃて白浜前なち

（意義）与那原は、大変評判の高いのもなるほどもっともだ。後に上与那原を控え、美しい白浜を前にして、実に美しい眺めだ。

（解説）与那原は景色がいいばかりでなく、海水浴場としても、遠浅なので最適である。近隣近村からは言うに及ばず、首里那覇からも押しかけ、戦前は恐らく沖縄一の海水浴場であったろう。

後方の高い丘は、汽車を待つ間の遊び場であったものが、次第に発展して遊園地となり、公園となり、家族連れや団体客でいつもにぎわっていた。

昔、与那原の親川という所には、天女が下りたという伝説があって、

「与那原の親川に天下りしやる乙女、あまん世の中の近くなたさ」

という歌がある。それは詠み人しらずであるが、小橋川朝昇という歌人は、

「昔このかはに天下りしやる、人の影やちやうも映せ水の鏡」

と詠んでいる。いかに有名であったかということがわかる。

大正一〇年には、いまの天皇が皇太子時代、欧州旅行の途次、ここに上陸されて、沖縄の天地をどよめかしたことがある。

軍艦が沖縄に立ち寄る時にも、いつでも中城湾に入って、さっそうたる海軍士官や水兵達が、いつでもここに上陸して、大にぎわいを見せたのであった。いまは毎年大綱引きが有名になっているようである。

与那原を賛美したような歌は、方々にあって、

「小浜てる島やだんじよ豊まれる、大岳はこしやて白浜前なち」

という歌があり、また、

「桃里てる島や果報の島やれば、唐嶽は前なちおやけ繁盛」

という歌がある。おやけというのは富貴という意であろう。

名所の歌　四十三

世持橋

空もはれ渡て浮世名に立ちゅる
世持橋てらす月のきょらさ

久志安寿

（意義）空に一点の雲もなく晴れ渡って、明月が世持橋を照らしている。実に美しい光景である。

（解説）世持橋とは、どこにある橋か知らぬ人があろう。しかし、首里に行ったことのある人は、町端から尚家の前へ出る時、皆この橋を渡っているのである。即ち竜潭の水の流れ去る末の方へかかっている橋である。

そう言えば大抵の人が、橋のあることは気がついたと思う。しかしその橋の欄干（らんかん）には気付かない人があるかも知れない。たとえ気付いていても、それが珍貴な芸術的価値のある彫刻が施されているとは知らない。

これは鎌倉芳太郎氏や伊東忠太博士が非常に貴重なものであると発表してから、さてはそうであったかと、初めて沖縄の人々は知らされたのである。

しかしこの橋の月夜の美観は、人工の美のとうてい及ばぬものがあった。

橋の下の竜潭、その周辺の風致、池の奥につらなるハンタン山、その山の上にそびえる首里古城、古城の上に輝く月、栄華は移る世の姿、うつさんとてか今もなお、あゝ荒城の夜半の月、その美しい情景が人の心を強く引き、しばし去る能わざらしめるものがあった。

その光景を見る度に、国亡びて山河ありという感を深くしたものであった。はからざりき古城変じて大学現われんとは。夢想だもしなかったことである。これはむしろ喜ぶべきであろう。喜ぶことのできないのは、首里の名の消え去らんとしていることである。守礼、中山両門の復元もありがたいが、首里の名の復元も是非尽力して頂きたいものである。

「上下の綾門関の戸もささぬ、治まとる御代のしるしさらめ」

両方の門が建ったら、沖縄が本当に平和になりそうである。

名所の歌　四十四

若狭大道　　惣慶親雲上

若狭大道やおべらずにすぎて
さめてあかつきや老の泊

（意義）若狭町の大通りは、いつの間にかおぼえず過ぎて、暁に覚めて見たら、老の泊に着いていた。

（解説）音声から若狭は若い、老は上、即ち老の泊は上の泊と言うことになる。人生は何と早いことか。若い時代は、あっという間におぼえず過ぎて、一夜あけて眼が覚めたら、もう老年になっていた。

「**上泊のぼて若狭町見れば、いちゅた潟原の馬の走り**」

という歌も、同様に人生の早く過ぎ去るのをうたったものである。いちゅたはちょっとの間。潟原は潮が引くと馬場となって、馬の走る光景が見られた。それで歌の意は、老境に入ってから、若い時代を振り返って見れば、潟原で馬が走っているように、実にいちゅたであった。

「若狭町てすも名付けたるばかり、買ひ戻ち見ちゃる人やをらぬ」

これは漢那親雲上庸森の歌で、若さの町と言っても、名前だけのことであって、誰も若さを買い戻して、再び若くなったという話は聞かない。若さというものが、いかに得難いものであるか。

「自由なゆて月日もがひうちはけて、若狭大道につなぎおかな」

これは詠み人しらずの狂歌で、自由になるものなら、月や日におもがひをかけて、若狭大道に繋いでおきたい。もがひはムゲーと言って、馬の面にかけるもの、即ちおもがひである。それと似た歌に、

「若狭大道に引きよとめおかな、空に行き過ぎるお月おてだ」

という歌がある。

結局、人間の願いというものは、いつまでも若くありたいということである。若さを失うほど悲しいことはない。それで、

「竹馬の昔くり戻し戻し、若狭大道に乗やり遊ば」

という希望の歌が生れ出て来るわけである。

かれよしの歌　一

あた果報

あた果報のつきやすす夢やちやうも見だぬ
かぎやで風のつくりへたとつきやさ

詠み人しらず

かれよしの歌は、縁起を祝うめでたい歌で、おもに唐旅や大和旅に出る人の出帆を祝ったり、帰帆を喜んだりする歌であるが、ここには「かぎやで風節」を始め、およそ百首を越す祝賀の歌の中から、面白いものを選んでかかげることにする。

（意義）鍛冶屋の風情で世に出て、国頭の地頭になるような大きな果報を得ようとは、夢にも思いかけぬことであった。

（解説）奥間カンジャー（国頭御殿の祖）が尚円王を助けた功によって、国頭の按司に取り立てられたのを祝った歌だと伝えられている。

あた果報は大きな果報という意で、同義語に百果報という語がある。かぎやで風のつくりは、鍛冶屋の手風即ちフーチョーバンチョーという風を起こすふいごで、色々の物を作る業を営むこと。へたとつきやさは、幸福がしっかりと身についたという意。

この歌は、かぎやで風節の本歌であるが、音楽家の間でも難解のため敬遠されて、いまだかつてこれを歌うのを聞いたことはない。

右にかかげた私の解釈も、あえて固執するものではなく、他に納得の行く解釈がある時は、いつでも改めるにやぶさかではない。

こう言えば大変雅量があるようだが、悪く言うと自信のない、頼りない解釈とも言える。それほど難解な厄介な歌だと私は思っている。そうして実は、誰かが立派な解釈を示してくれるのではないかと、楽しみにしている。

と言うのは、宮良当壮博士が「かぎやというのは鍛冶屋ではなく、太陽の輝くという意である」との説を見たおぼえがあり、他にも池宮喜輝氏が「かぎや部落がある」と唱えたからで、諸氏の完全な解釈を待っている次第である。

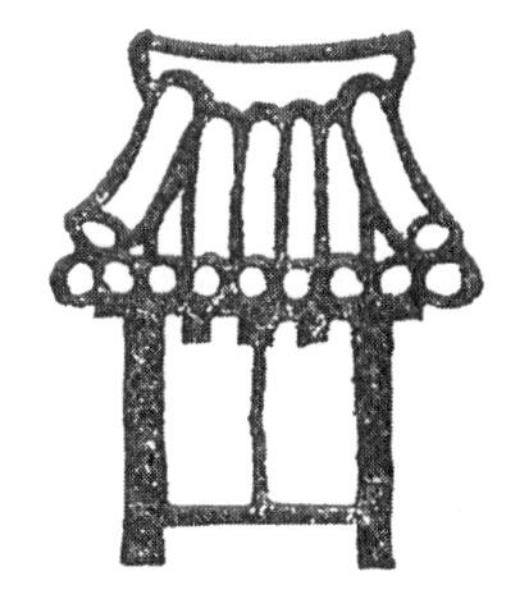

石なごの石

具志川王子

石なごの石の大瀬なるまでも
おかけぼさへ召しやうれわお主がなし

（意義）小さな石投子の石が、大きな岩になるまでも、この世をしろし召されてお栄えなさいませ、わがお主さま。

（解説）石なごは国語の石投子で、女の子がお手玉のようにもてあそぶ小石。国王がすでに存在しなくなった今日でも、沖縄ではこの歌がよく歌われている。それは歌曲がすぐれている故であろうと思う。

日本の国歌君が代は、非民主的な歌であるとして排斥され、この頃は学校で全く歌われなくなった。それで子供達は、何かの機会で君が代の歌を聞くと、「あ、相撲の歌だ」

と、言っているそうである。国技舘の閉会式で歌うからだ。思わず笑わされる。

それにつけて思い出されるのは、早稲田の校歌「都の西北」である。これほど愛唱されている校歌はあるまい。早稲田はいまは都の西北どころか、都の中央になっているが、この校歌は改められるどころか、益々深い愛惜の情をもって歌われている。教授や学生の会合は言うに及ばず、卒業生の会合でも、必ず「都の西北」を歌って、心のふる里をしのぶのである。

国歌と言うものもまたこのように、国民が集まる所では、こぞって心の底から喜んで歌うようなものでなければならぬ。

その点から言えば、君が代の歌は、内容はともかくとして、曲が沈みすぎてお通夜の曲を思わすと批評されたように、あまり勢いのよい歌ではない。

内容のことを言うなら、日本よりもはるかに民主的である英国の国歌もやはり国王を賛美したもので、君が代とさして変わりはない。ところが曲を比べると大変違う。

内容も大切は大切だが、曲はさらにそれ以上に大切であるということがわかる。

言ちも尽されめ

言ちも尽されめ子孫つれて
なれし古里にのぼて行きゆす

真喜屋実珍

（意義）子や孫たちを連れて、古里の首里に上って行く喜びは、とても言い尽されるものではない。

（解説）首里を離れて田舎に行っていた人が、子や孫を連れて、親類や知人、友人が沢山いる古里に帰るという喜びは、人生の最大の喜びである。これはとうてい言い尽されるものではない。またその境遇にある者でなければ、想像することができない。

故郷忘じ難し、鳥の鳴かぬ日はあっても、故郷を思わ

ぬ日といってはない。

私も実はこの歌の通り、子供達が大きくなり、嫁を迎えたり、孫が出来たりしたら、一度皆そろって故郷に帰ってみたいという希望を描いていた。ところが、今度の戦争で、長男が比島のダバオで亡くなり、末子が病没したりしたので、いまはこの希望もすっかり水の泡と消えてしまった。それで子や孫を連れて故郷へ帰るという喜びの歌は、非常にうらやましく感ぜられる。

「うれしさや母の十百歳よかねて　初春の子の日祝ひ遊ぶ」

これもうらやましい歌だ。母がいつまでも長生きするようにと言って、正月の初の子の日に祝宴を張るということは、世の中にこれほどの喜びはないと思う。母ほどありがたい人はいない。慕わしくて懐かしくて、いつまでもいつまでも長生きしてほしい。

山田有登さんは、第二女学校の校医であったが、この人が生まれた時、そのお父さんの有度さんが、

「うまが欲しゃしゅたる親のまゐる中に、生まれやい呉らな玉の産子」

と詠んで、祝いに集まった人々の涙を誘ったという話があった。親が生きている中に、生まれてくれればよかったものをと、喜びの中でも嘆いたとのこと、その心中が察しられる。

命果報

尚円王

命果報願へは岩の身のごとに
首里おゑかい願へはげらひお座敷

（意義）命の果報を願えば、体が岩のように頑丈で長命するように、首里の御位階を願えば、げらひお座敷（三司官の座敷）に就きたい。

（解説）この歌は尚円王が二〇歳の無名のころ、首里に上って、越来王子（尚泰久）から、お前の一生の願いは何かと聞かれて、それに答えた歌と伝えられている。聞く方も聞かれる方も、これが後に国王になろうとは思わなかったであろう。

人間の願望は、限りなく果てしなくあるものだが、あんまり欲ばると、あぶはち取らずに終わってしまう。尚円王がわずか二つの願いにとどめていたのは、さすがに賢明であった。

人間はまず健康、体が丈夫でなければ何事もできない。次は出世だが、これも可能性があるものを一つを目標にして進むこと、これが何よりも大切である。そうすれば他のことは願わなくても、おのずから労しないでできるようになるものだ。

君子親方と言われた与那原良矩の願望は、

「根の張りやいわほ身は龍のごとに、ことぶきや千歳子孫そろて」

と、うたっている。これは人によって願望も違ったり似ていたりするのが面白い。即ち身体が丈夫でありたいというのは似ているが、三司官は望んでいない。望まないはずだ、すでに三司官になっている。しかしその代わり、子孫のことを願っている。これもまた人情で至極もっともな話である。

それから国頭親方は、

「豊なる御代のしるしあらはれて　雨露の恵み時もたがぬ」

農民にとっても一般人民にとっても大切な願いをうたっている。

「十日越しの夜雨草葉うるはしゆす　おかけぼさへ御代のしるしさらめ」

という歌もある。

かれよしの歌　五

遊びぼしや　　　　　詠み人しらず

遊びぼしゃあてもまどに遊ばれめ
首里天がなしお祝やてど

（意義）遊びたくても、平日は遊ぶことはできない。幸に今日は首里天がなしのお祝だから、思い切って遊ぶことができる。うれしいことだ。

（解説）沖縄人は元来平和を愛し遊びを好む。しかしいくら遊び好きでも平日は遊ぶいとまがない。それで遊ぶ機会を待ちかねて、殊に国王のお祝いともなれば、上下羽目を外して遊んだらしい。

「いかれいかれ今日やただいかれ童、首里天がなしお祝やこと」

いかれと言うのは興ぜよという意。興に乗じて歌えや舞えや、大いに遊べ、今日はお主がなしのお祝だから、といったあんばい。

「親子おしつれて出立ちゆる今日や、首里がなし天のお祝やこと」

これは与那原親方良矩が、国王の祝いのため、親子つれ立って登城した時の喜びの情である。

「かれよしの遊びうちはれてからや、夜のあけててだの上る迄も」

かれよしの遊びは、国王の祝いに限らず、何でもありふれた祝いの遊び。うちはれてからやは、何の気がね遠慮もなく、かくし隔てもなく、すっかり解放された気分になってと言う意。着物をぬぎ去ってはだかになってという解釈もあるが、どうであろうか。

とにかくこれは田舎での遊びらしく思われる。すっかりとけ合って、徹夜で遊んだことがわかる。

「夜のあけててだや上らはもよたしや、巳午時迄やお祝しやべら」

これは女の返歌で、一層徹底している。巳は午前十時、午は昼の十二時。夜が明けて日が出て、なお十時十二時までも遊びましょうというから、女にはかなわない。

「遊で浮上がゆるわすた女童の、よらて遊ぶすも島の習ひど」

島の乙女らの姿が見えるようである。

「遊で忘ららぬ踊て忘ららぬ、思まさて行きゆさ彼女が姿」だ。

穴ずまひ　　　　　　源河朝達

穴住居しちゃるいくさ世も過ぎて
あけてあがりてだ拝むうれしゃ

(意義) 防空壕に生活していた戦争の世も過ぎ去って、平和の日の出を拝むうれしさはたとえるものもない。

(解説) 日本国中の人間が、一人残らず穴住居して、昼も夜もおびえていたことが思い出される。

東京をはじめ日本全国の大都市が大抵焼き払われて、みじめな目に遭ったが、それでも沖縄の戦火のすさまじさに比べると、物の数でもない。

沖縄は一坪に五トンか一〇トンの爆弾を落とされた話であるが、どんなに凄いものであったか、想像もできない。生き残っている人々は全く奇跡と言うより外はない。

まさか負けるとは少しも思っていなかったので、天皇の重大放送を聞いた時、私は思わず涙が流れた。戦地に行っている倅（せがれ）がどんなに残念に思っているかと、はるかに思いやられた。

しかし家族から軍人の出ない一般の人は、終戦になって皆ほっとしている様子であった。世の中が急に明るくなって、にこにこ顔になった。それほど痛めつけられていない本土でもその通りであったから、まして地獄の苦しみを経た沖縄の人達が、平和の朝を迎えた時の喜びは筆舌の及ぶところではなかったと思う。

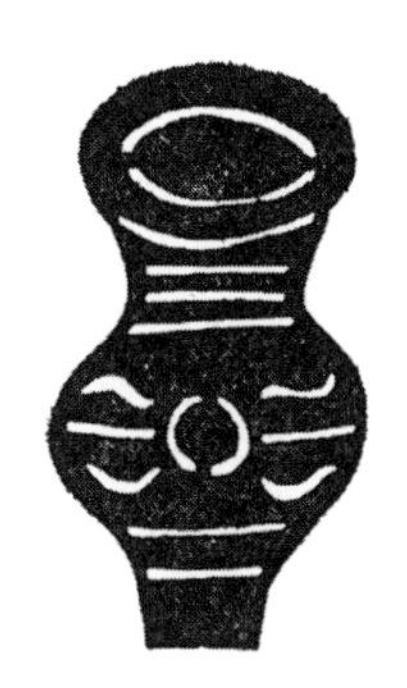

源河先生には、戦時中の生活の苦しかったことをうたわれたものもある。

「朝飯やすまち昼飯やきやしゆが　晩や白波の音が聞きゆら」

という歌である。東京は配給米が絶えるということはなく、不足がちではあったが、それでも白波の音を聞いて我慢するというようなことはなかった。

沖縄が日本のどこよりも大きな犠牲になったことはよくわかるから、この頃沖縄の人達に対して、手厚くもてなし、深い同情の意を表するようになった。

新玉の年

詠み人しらず

新玉の年や炭とこぶかざて
心から姿わかくなゆさ

（意義）新年になると、たんと喜ぶという縁起を祝って、炭と昆布を飾り、何となく心も姿も若くなったような気持ちがする。

（解説）かぎやで風節で新年に歌う歌である。炭と昆布を飾るのは日本全国共通と思われる。しかし若くなるというのは沖縄の特徴であろう。他の地方ではそういうことはあまり聞かない。沖縄では正月に人に会うと、真っ先に、

「イイショーグヮチ、ワカクナミショーチ」

と言う。正月になる度ごとに若くなったら、結構この上なしである。高江洲昌壮の、

「老いが身の心若水に洗て、くり戻ち見ぼしや元の姿」

という歌がある。若水を飲めば心が若くなり、それで顔を洗えば顔が若く元の姿になるという信仰がある。それで子供達は元旦に朝早く起きて、若水を井戸から汲んで来て、褒められたりお年玉をもらったりした。正月の楽しい思い出である。

「いつも新玉の年のごとあらな、うれしいことばかり言ちゃり聞きやり」

新年は嬉しいことばかり言ったり聞いたりしているから、いつでも新年のようにありたいというのも、一般に共通した気持ちであろう。なるべく怒らず、けんかをせず、いいことばかり言ったり行なったりすれば、その年は年中いいことばかり続くと信じられている。

「新玉の年や誰も喜びの、目眉うちひらき遊ぶうれしや」

子供達は新しい着物や帯、それに新しい下駄を買ってもらって、嬉々として遊び、大人も親類の家を回って、誰も彼も目眉うち開いて遊んだ。最も楽しいのは、貰い集めた金でチャンクルーをすることであったが、これは明治の半ばごろに禁止された。明治は遠くなりにけりである。

嬉しことときく

嬉しことときくの花も咲ききょらさ
どしよらて語ることのうれしゃ

崎浜秀主

（意義）うれしいことを聞く席に、菊の花もきれいに咲いており、友人大勢と寄り合って語るのもうれしいことである。

（解説）沖縄に教友会というものがあって、その会員はいずれもかつて校長を勤め、教育界で功成り名遂げた人々である。

崎浜先生がこの会に出られた時、かねてから待ち望んでいた恩給が支給されるという報告がもたらされた。

そこで、「嬉しことときくの花も咲ききょらさ」となり、また教友会の人と久し振りに会って喜び合い語り合うことができたので、「どしよらて語ることのうれしゃ」となったのである。

恩給は、現在の教員にはどうなっているであろうか。薄給に甘んじながら、一生を教育のために捧げる人々のために、ぜひ現在の教員にも続けてほしいものである。当路の人々の努力を望む。

「けふのよかる日に昔どしいきやて、嬉しさや互に語て遊ば」

これは詠み人しらずの歌であるが、かぎやで風節の中の一首である。友あり遠方より来る、また楽しからずやと言うもので、心の合う友と語るということは、古今東西どこも同じものであるようだ。

「人の持たちいたる芋酒のあすが、けふや主司たり前ひまやあらね」

人から芋酒をもらったが、これを一人で飲むのは惜しい。この時こそ親しい友と一緒に飲めば、芋酒も一層おいしくなる。主司たり前と言うのは、他人の父親を敬して言う語で、ターリーと言うようなものである。既に父親になっている友人を親しい意を込めて呼ぶ語である。護得久朝常が、

「三千とせになゆる唐桃やあらぬ　山桃どやすが上げて見やべら」

と詠んだのは、山桃の初物を親しい友人に送った時の歌である。

お祝日

与那原親方良矩

お祝日になれば押風もまとも
だんじょかれよしのしるしさらめ

（意義）船の出帆するお祝いの日になると、押風（順風）もまともに吹いて本当にめでたいしるしである。

（解説）昔の旅行は、帆前船一辺倒であったから、出帆の日の風の方向が何よりも大切であった。

おすかぜという言葉が、よくその気持ちをあらわして、順風と言うよりもはるかにぴったりする。船の艫（とも）の方から押してくれる風が非常にありがたいのである。

「**だんじよかれよしや選でさしめしやいる、お船の綱とれば風やまとも**」

これはお祝いに集まった女の人達が、円陣を作って歌う最初の歌で、これに類するかれよしの歌を徹夜して歌うのである。

「**お祝日になればかれよしの宿の、お庭出ぢて肝やをどるばかり**」

これは今帰仁朝敷の歌で、お祝いの席に出た人々の心持ちを表現した歌である。男も女も興奮して胸を躍らしたものである。

「**蘭の匂立ちゆる花のお座敷に、鳴らす四つ竹の音のしほらしや**」

上流階級の家では、歌や踊りばかりでなく、蘭の香気まで立ちのぼる。いな、蘭の香ばかりでなく

「**ちんやきやらとぼすお座敷に出ぢて、踊るわが袖の匂のしほらしや**」

床の間には、ちんやきゃらなどの名香まで焚いた。肝や躍るばかりというのもなるほどもっともだ。田舎のお祝日は、それと違ったにぎやかさがあった。

「**あんぐわたが歌にわらんきやが踊り、見ほれ聞きほれににや夜やあかち**」

わらんきゃと言うのは若者達の意で、娘達が美しい声で歌えば、若者達がコーガーキーして入れ代わり立ち代わり踊る。

「**出ぢれ出ぢれ舞方なま出ぢれ舞方、二才がしゆう舞方見ほしやばかり**」

かくて夜のあけるのも知らぬありさまであった。

思姉の御巾

おめなりのみさじ守神だいもの
引廻ちたばうれ大和までも

詠み人しらず

（意義）おめなりの御手拭は、守神として霊験があるということである。どうぞ大和の国まで無事に引きまわしてやって下さい。

（解説）おめなりは必ずしも姉とは限らず、妹にも言う。つまり男の兄弟から言えば、女の姉妹は皆おめなりである。

普天満権現は、航海の神として旅に出る者が必ず参拝するが、この神様も女で、男の兄弟が航海中遭難した時、助けたという伝説がある。それからをなり神という言葉ができたと言うけれど、これははなはだ怪しい。そのうそ本当ですかと言いたい。しかしをなり神の信仰のあることは事実である。

「**お船のたかともに白鳥がいちょん、白鳥やあらぬ思姉おすじ**」

という歌もある。

航海中白鳥が迷い込んで来た時、今の若者達は面白半分に生け捕りにして喜ぶかも知れないが、昔の人は霊鳥として、それもをなり神の乗り移った霊鳥として、大事にしたのであった。

日ごろはけんかばかりしている姉と弟、あるいは兄と妹でも、いざ旅に出るとなると、うってかわって、をなり神の精神を発揮して、手さじを持たしてやることを忘れない。男の兄弟の方も、不安の旅に出る時は、姉妹のくれる手さじを大事にしたものである。溺れる者は藁をも掴む、という心理作用で、手さじをつかんだに違いない。

「**おめなりたそろて月月のお願**（うぐわん）**、たいの親がなし日日のお願**」

という歌を見ると、おめなり達はいくら思うと言っても、月月のお願しかしない。二人の親がなしは、毎日毎日、あけてもくれてもお願をして下さる。世の中に親ほどありがたいものはないということを、この歌は教えてくれる。恋人といえども、親の愛情には及ばない。

かれよし（上）

小禄按司

かれよしのお旅急ぎ行きいまうれ
肝の願しちゅてお待ちしゃべら

（意義）めでたいお旅急いで行っていらっしゃい。無事に使命をはたされてお帰りになるのをお待ちしましょう。

（解説）昔の旅は、中国へ行くにしても、大和へ行くにしても、私用というものはなく、ほとんど全部国王の命を受けて行く公用であった。かれよしのお旅と言うゆえんである。肝の願というのが面白い言葉である。肝というのは心ということである。万葉集の歌にも心の枕詞（まくらことば）として「むらぎもの」という言葉（むらがる肝）が盛んに用いられている。

さて国王の使命を受けて、唐、大和の旅に出る人は、選ばれた人々であったから、羨望の的ともなった。

「お旅しもきよらさみやだいりしもきよらさ、いきやる親がなしすだしめしやうち」

という、詠み人しらずの歌がある。唐、大和のお旅に出ても、立派に使命を果たされるし、平素の勤務もおみごとであるし、いかなる親御さんがお産みになったであろうかと、感嘆した歌である。

旅行者のある家では、五月一日および九月一日には、その無事息災を祈るため祝宴が張られた。

「かれよしのお宿うち続き踊る、ほこり声の鼓百のお祝」

鼓を打って踊るのは女の人達で、ダンジュカリユシの歌声と共に夜通し聞こえた。

昔は電報も電話もなく、旅行者の消息を知るには、手紙より外はなかったから、便船のある度毎に手紙が待たれた。

「かれよしの御状や拝で拝みぼしや、便のかずごとに持たちたぼうれ」

それが家族の願いであった。ことに誰よりもそれを待ちかねたのは、

「朝夕さもお傍拝みなれそめて、里や旅しめていきやし待ちゆが」

と泣いて別れた妻である。

かれよし（中）

護得久朝置

かれよしよ歌てわが会釈しゆもの
早く着ちいまうれ大和錦

（意義）かれよしの歌をうたって、私が深く頭をたれてお祈りをしているから、早く成功して、大和錦を着て帰って下さい。

（解説）会釈というのは、あいさつをするという意と、首を垂れて礼拝をするという意、即ち祈るという意がある。

「糸柳いけてわが会釈しゆもの、旅の行き戻りいとの上から」

という歌もあって、これは糸柳の枝が根本に垂れるように、旅に出ている人が、再び元の所に帰るようにと祈る歌である。

いとの上からのいとは、糸でなく絹である。絹は表面がなめらかで、でこぼこがないから、海上も絹のように波立たないでなめらかにして、平穏の航海ができるようにと祈ったのである。

昔の人が、旅に出た人の身の上を、いかに案じたかということがわかる。

唐旅は三年、大和旅は一年、台風が続いてある時は、それ以上に延びることがあったから、家族は指を折り返し返し心配しながら待った。

「なぐさみに取たる石なごやあらぬ、里がいまゐ月の算ど取たる」

いじらしい妻の歌である。何だ石なごの石をもてあそんだりして、子供のようだと笑う人があるかも知れないが、遊んでいるのではなく、恋しい人のお帰りの月を数えているわいのう、と言うところである。

「こんながいのお待ち月よでのお待ち、なまからのお待ち日よでのお待ち」

恋しい人の帰りがだんだん近づいて、これまではあと何ケ月と言っていたものが、これからはもうあと何日と言うことになった、と喜びが胸に満ちあふれて、知らず知らずのうちにほほえんでしまうのである。そうして、人の見ないところでは、ギーターでもしたくなる。

かれよし（下）

金武朝芳

かれよしの御状どわないい待ちをたる
いないまうちいまゐす夢やあらね

（意義）かれよしのお手紙を私は待っていた。こんなに早く行っていらっしゃったのは、夢ではないだろうか。

（解説）唐旅はなかなかそういうわけにはいかないけれど、大和旅は、時に意外なほど早く行って来て、人をびっくりさせることがあった。

旅行者が帰って来ると、家族はもちろん親類知人に至るまで、皆喜び迎えて、しばらくはお祝いが続き、方々で旅の話などするのがお決まりであった。しかし最も喜んだのは、言うまでもなく妻である。夫が旅に出発する時には、

「弁の岳お岳願立てておきゆて、里がまうちまうらば連れてほどか」

お願（うぐゎん）をしておいて、無事帰って来たら、今度は夫婦連れだってお礼参りをしようと、心中深く期しているのである。

　そこで、いよいよ夫が帰って来て、お礼参りに行く時は、

「**里前先立てて願ほどく時や、わどやればわどえつでど見やべる**」

ということになる。

　願ほどくと言うのは、ウグヮンブトチといって、お願をほどく、即ちお礼参りである。わどやればわどえつでど見やべるというのは、あまり嬉しくて自分が本当に自分であるか、つねってみるほどだという心持ちで、喜びの情をよくあらわしている言葉である。

　昔は夫婦連れでどこかへ行くということはめったになかった。明治になって大和人が沢山来て、夫婦連れで歩くのを見ると、大和人は恥がないと批評したものである。

　しかしそういう時代でも、お礼参りの時だけは特別で、公然と夫婦が一緒に行くことができた。しかし普天満権現は、夫婦連れで拝んではならぬと言われていた。

けふのほこらしや（上）　詠み人しらず

けふのほこらしややなをにぎやなたてる
つぼでをる花の露きやたごと

（意義）今日のうれしさは何にたとえようか、たとえるものもない。つぼんでをる花が露にあったようだ。

（解説）この歌は仲節の本歌であるが、今日ではかぎやで風節の本歌のように思われている。祝賀の席で最もよく歌われるようになったからである。

歌詞の解釈については、小渡良忠氏が沖縄タイムスに、奇抜な研究を発表されたことがあった。

小渡氏は「ほこらしやは戦争に勝った時のほこらしやであって、うれしやではない」と言い、歌全体の意味は「今日の勝ち誇りのお祝いは尚賑やかに褒めたたへよう、蕾が露に会うて開いたのだから」と言っておられる。実に奇想天外で、面白い解釈があればあるものだと思った。

しかし沖縄では「ウッシャ・フクラシヤ」という言葉もあるように「ほこらしや」と「うれしや」は、昔から同義語として使っていることも認めていただきたい。

一例をあげれば、中作田節に、

「うれしやほこらしやや懐にあまて、袖までも包む無蔵がなさけ」

とあるように、勝ち誇りと言うよりは、うれしいという情があふれているのである。

一例だけでは御満足を得られないかもしれないから、なお二、三の例をあげてみよう。

組踊「女物狂」の最後の場面で、母親と子供とが再会して喜ぶと、座主が「いやいや不思議な縁よ不思議な縁よ、たうたう今日のほこらしややなをにぎやなたてる、おしつれて互に踊て戻れ」と言う。

これも「今日の勝ちほこりは尚賑やかに褒めたたえよう」と解するより「今日のうれしさは何にたとえよう」と解する方がよくはないか。次に孝行の巻という組踊から例をあげてみよう。

けふのほこらしや（中）

わすたまで今日やほこらしやどあゆる 踊て立ち戻ら、ほこて立ち戻ら

組踊「孝行の巻」は、北谷屋良の漏池に棲んでいる大蛇が、人民に害を及ぼすので、童女の犠牲になる者を募集したところ、孝行娘真鶴が母を安楽にするため、進んで犠牲になろうとしたら、神が現われて大蛇を滅し、娘は無事に助かったばかりでなく、王子の妃になったという劇である。

この劇の最後の場面で母と娘が相抱いて喜ぶと、頭取が、「**わすたまで今日やほこらしやどあゆる、踊て立ち戻らほこて立ち戻ら**」という言葉も、花のように美しい娘が、無事に救い出されて、うれしい喜ばしいという情をあらわしているものと見る方が、適当であろうと思う。

その他、うれしいという情をあらわす時、ほこらしやどあゆるという言葉は、組踊の至る所で見出すことができる。たとえば「忠孝婦人」の村原が、命が惜しいのでもなく、妻子の情に引かれたのでもなく、若按司を取り返すために生きのびていたと言うと、母が、

「なまのごとやれば誇らしやどあゆる」

と言っているのも、うれしい喜ばしいというわけであって、また戦争に勝ち誇りほめたたえるというまでには至っていない。

「忠臣身代り」の波平大主が、勝連に行って、平安名大主に会い、若按司が無事であるのを聞くと、「なまのごとやれば誇らしやどあゆる」

と言っているが、これもうれしいと言うわけで、まだ勝ち誇りまでは至っていない。

組踊「大城崩」で、虎千代と金城が共に助けられた時、皆が喜んで踊って戻る時の歌、

「**けふのほこらしやや木草色かはて、ひでりしゆる頃の雨きやたごと**」

と言うのも、うれしいという意味である。沖縄の「ほこる」という言葉は、普通の誇るという言葉と意味が違うように思う。

けふのほこらしや（下）

かたき討取たる今日や父親も
草の蔭をとてほこりめしゃいら

組踊にも、戦争に勝った時とか親の敵（かたき）を討った時とか、とにかく戦いに勝って「けふのほこらしやや」を歌う場面がある。たとえば「二童敵討」とか「伏山敵討」とか「忠臣身代わり」とか「久志の若按司」とか、首尾よく敵を討った時は、何れも「けふのほこらしや」を歌って、おしまいになっている。

そういう場合には、小渡氏が論ぜられるように勝ち誇りで尚賑やかに褒めたたえよう、という風にも思われる。

しかし、それでも普通に言うところの「誇り」と、沖縄の古語の「誇り」とは異質のものがあるような気がする。

普通に言うところの「誇り」は自慢とか、得意とかいう心持ちがあるけれど、沖縄の古語の「ほこり」には、敵を討ち取った時でも、自慢とか得意とかいう心持ちはない。ただ喜びの情だけである。

たとえば「万歳敵討」の謝名之子と弟の慶雲が親の敵の高平御鎖を討った時の歌は、

「かたき討取たる今日や父親も、草の蔭をとてほこりめしゃいら」

と言うのである。即ち父親も草の蔭で喜びなさるであろう、というのであって、草の蔭で得意になったり、自慢したりなさるであろうということではないのである。

また他の場合では「過ぎし父親も嬉しやめしゃいら」とあって、「ほこりめしゃいら」と「うれしやめしゃいら」とは、全く同様の意味があるように取り扱われているのである。

とにかく小渡良忠氏の解釈は、非常に珍しく奇想天外で面白いけれど、少し強引に過ぎられる傾向があるように思う。

「ほこらしやは戦争に勝った時のほこらしやであって、うれしやではない」と一方的に強く言われないで、うれしやという場合もあることを認めて頂きたいのである。

かれよしの歌　十七

御慈悲（上）

久手堅親雲上

御慈悲ある故どおまんちゅのまぎり
上下もそろて仰ぎ拝む

（意義）国王に御慈悲のお心があってこそ、万民は上下そろって御仁徳と御仁政を仰ぎ拝むのである。

（解説）これは特牛節で、やはり祝宴の席で歌うかれよしの歌だけれど、小渡良忠氏が、御慈悲は仏語で言う情けとか恵みとか言うのでなく、ここでは善は善、悪は悪とはっきり裁く政治のことであると言っておられるのは、大変面白いと思う。

国王に慈悲の心があるから、万民は仰ぎ拝むのだと言うと、あたりまえの話のようだけれど、よく考えてみると、それは国王に対して条件をつけていることで、裏返して言えば、慈悲の心がない場合は仰ぎ拝まないと言わんばかりである。

小渡氏の説のように、善は善とし、悪は悪として裁く政治なら、古今東西どこに出しても立派な政治であるから、それを賛美していると言うことは、至極もっともである。慈悲の政治は即ち是非の政治という場合があることになる。

私の集めた琉歌に、御慈悲という言葉が出ているのは、次の七首である。

一、御慈悲ある故どおまんちゅのまぎり、上下もそろて仰ぎ拝む
二、かたき討取やり誇て戻ゆすや、御慈悲あるお主のおかげさらめ
三、首里天がなし御慈悲ありあけの、月影と共に拝がですでら
四、嬉しさのあまりなつかしくなゆさ、唐土天がなし御慈悲拝で
五、御慈悲ある御代のあや門より外に、守りないぬ関の世界にあゆめ
六、御慈悲ある御代や関の戸もささぬ、遊で楽しみゆる上も下も
七、野山ふみわきゆるさたしらぬ昔、御慈悲ありあけの照りよあがて

以上の歌を見ると、普通に言う慈悲の意の底に、皆是非の意もあるように思われて、これは小渡氏の大発見だと思う。二番以下明日の紙上に説明してみよう。

かたき討取やり誇て戻ゆすや　御慈悲あるお主のおかげさらめ

御慈悲（中）

二番目の歌は、

「かたき討取やり誇て戻ゆすや、御慈悲あるお主のおかげさらめ」

というのであるが、これがどうして善は善、悪は悪とはっきり裁いた政治であるかと言うと、これは「姉妹敵討」の亀松と乙鶴の美しい姉妹が、親の敵・謝名大主を討った時の歌であると言えば、読者はなるほどと思われるだろう。

この時の「お主」と言うのは、国王ではなく、領主の神山按司のことで、姉妹が敵討ちを願い出た時、善悪、正邪、是非の裁断を下して、立派に敵討ちをさせるのである。それは慈悲の心もあったであろうが、この場合は、それよりも善は善、悪は悪、是は是、非は非と正しい裁きを下した意味の方が強いように思われる。

次に三番目の歌は、

「首里天がなし御慈悲ありあけの、月影と共にをがですでら」

というのであるが、これは一番目の歌と同じく、正しい政治をありがたく思う意味の歌である。

政治が暗く光を失い、人民が暗夜に迷い苦しむことがあっては大変であるが、その時道をはっきり照らしてくれる月の光が出たらどんなにありがたいものであるか、言うまでもないことである。

ありあけの月影と言ったら、普通は薄い光であるが、この場合は「有る」という意味を表わすための言葉のあやである。

次に四番目の歌は、

「嬉しさのあまりなつかしくなゆさ、唐土天がなし御慈悲をがで」

これは大国の唐土天がなしが、小国の琉球を丸呑みにして、領有しようとしないで、独立国として立派に認め、国王の即位の度に冊封使を派遣してくれた恩に感謝感激した歌である。

作者は浦添王子朝熹で、摂政の地位にあったから、その政治的責任の立場からも、ことに深くその感を深くしたであろうと、十分にその心中が察しられる。

御慈悲（下）

御慈悲ある御代のあや門より外に守りないぬ関の世界にあゆめ

次に第五番目の歌は、

「御慈悲ある御代のあや門より外に、守りないぬ関の世界にあゆめ」

というのであるが、これは琉球にはあや門（中山門と守礼門）より外には、どこにも関がないということを自画自賛した歌である。

それと言うのが、国内には正しい政治が行なわれて、反乱を起こす者がいないから、あや門の外に関を設ける必要はない。

そのあや門も儀礼的なものであって、国の表玄関として外来者を迎えるために設けたものである。

こういうふうに関門がただ二ケ所しかないということは、世界のどこにあろうか。

日本には数えることのできないほど沢山あり、まして大国の支那には、どれほどの関所があるかわからない。

即ちこれは琉球が平和で、かつ善は善、悪は悪とする正しい政治が行なわれているからである。

次に第六番目の歌は、

「**御慈悲ある御代や関の戸もささぬ、遊で楽しみゆる上も下も**」

というもので、第五番の歌と違うところは、関の戸を鎖(さ)さぬということである。

関と言えば、どこの国でも厳重な守りをしたもので、中国の関所は、暁の鶏が鳴かない中は、通さないという規則さえあり、夜は絶対に通さなかったということがわかる。

日本でも、天下の険を誇る箱根の関を始め、弁慶主従が苦心して通った安宅の関、その他歌で有名な逢坂の関、白河の関、勿来(なこそ)の関など、皆恐ろしい関守がいた所である。それらに比べると、関の戸を鎖さぬ沖縄のあや門は、平和の象徴と言うことができる。

第七番目の歌は、

「**野山ふみわきゆるさたしらぬ昔、御慈悲ありあけの照りよあがて**」

これも善悪是非正邪がはっきり分からない時に、それをはっきり示した光明の政治に感謝した歌である。

七八十

神谷親雲上厚詮

七八十までや並並のよはひ
米のよはひ越えて百のお祝

（意義）七八十歳は、誰でも生きながらえることのできる普通の年齢であって、八十八の米の年を越えて百歳のお祝をしてこそ初めて長命の本当のお祝である。

（解説）よはひは年齢という語だがここでは、いはひと兼ねた語となっている。

実際は、七八十までや並並の齢（よわい）どころか、昔は極めてまれな齢であった。人生五〇という言葉がそれを証している。

しかし人間は、長命を欲する。一〇〇までも二〇〇までも生きたいと願う。その願望が歌となってあらわれる。

「六十かさべれば百二十のお歳、ももといつまでも拝ですでら」

といって、朝の茶請には、豆腐を焼いた六〇と、大山真喜志のあんぐゎ達が売って歩く山桃を喜んで食べたものである。

「百歳の渡中しがらみは立てて、いつも年波や寄らぬあらな」

秦の始皇帝は、不老不死の薬を求めて、東海の蓬莱島に使者をやった話があるけれど、もしそんな薬を誰かが発明したら、どんな大金持ちになるかわからぬ。

その薬は飛ぶように売れて、作っても作っても後から後から買い手が押しかけて来て、大変な騒ぎになるであろう。門前には早慶戦のように、あるいは日本シリーズのように、延々長蛇の列が続くであろう。

ところが、そんな薬は飲まなくても、いつまでも若々しく健康でいらっしゃるお方がある。中央金庫理事長の崎浜秀主先生である。その八五歳のお祝に、金城紀光先生が

「拝でうれしさや初春と共に、八十五になても元の若さ」

という面白い歌を詠まれたが、全くその通りで、いつまでも元の若さである。まことにあきれたうらやましいお方である。

かれよしの歌　二十一

はつ春　　　　　　詠み人しらず

初春に出ぢてぼさつ花見れば
花も咲ききよらさなりもしげさ

（意義）初春に出て稲の花を見ると、花もきれいに咲き、実もしげくなって見事である。

（解説）ぼさつ花は、稲の花の別名で、転じて五穀の花にも言うようになった。

農民にとって、稲の立派な発育を見るほどの喜びは他にない。農民の喜びは、ひいて天下万民の喜びである。

「見れば嬉しさやこなし田の稲の、真玉よかまさて粒のきよらさ」

という歌も、稲の穂のみごとなできばえを歓喜の情でうたったものである。こなし田と言うのは、稲を植える前に、十分に打ち返して田の土を深く耕した田のことである。

こなすと言ったら、踏みつける、踏みにじるという意もあって、

「わぬ童ともてこなしゆらばこなせ、こなし田の稲のあぶし枕」

という歌もある。これは私を子供だと思ってふみつけて馬鹿にするならして見よ。踏みつけた田の稲はよく出来て、あぶし枕という豊作になるのだという歌である。

あぶし枕と言うと、

「穂花咲き出ればちりひぢもつかぬ、白ちやねやなびきあぶし枕」

という歌である。これは作田節の本歌で、豊年の代表的歌となっている。ひぢは泥、白ちやねは白実、即ち米のことである。

ところが、真境名安興先生の『沖縄一千年史』には、白ちやねは白い根と出ている。これは研究問題である。

白い根がなびいてあぶし枕をするというのは、少しおかしくはないか。あぶし枕をするのは、穂でなければならぬ。

しかし穂は黄金の色をしているのであって、白くはない。そこで根としたのであろうか。しかし黄金の色をしているのは、米の皮であって、米そのものは白実だから、白実がなびいてあぶし枕と言ったのではなかろうか。

かれよしの歌　二十二

ふたかちゃ（上）

漢那親雲上

ふたかちゃの昔なまにくり戻ち
関の戸もささぬ御代のうれしや

（意義）昔ふたかちゃの御代と言って太平や豊年を祝い、歌い踊り遊んだ時代があったが、いままたその時代と同じように太平の御代になって、上下のあや門の関の戸もささないで、万民安楽にくらすことのできるのは嬉しい。

（解説）ふたかちゃの御代について、二つの間違った解釈がある。

その一つは、沖縄が慶長の役以来、日支両属の形となって、日本の機嫌を取ったり、支那の機嫌を伺ったりしたのは、ちょうど遊女が二つの蚊帳を用意して、一方の蚊帳では甲の客に接し、他方の蚊帳では乙の客に接したようなもので、この時代を「フタカチャの御代」と言ったという説である。

もう一つの説は、支那に大乱が起こって、沖縄人は支那に行くのをいやがり、航海の危険もあったりして、使節にやられるのを避ける風を生じ、家を出て道端に蚊帳を吊って生活をした時代がある。それが天幕を張ったようで、蓑の形をしていたから「フタカチャの御代」と言ったという説である。

しかしながら、右の二つの説はフタカチャの真の意味を知らないで、いい加減なこじつけ説であるに過ぎない。真のフタカチャの意味は何かと言うと、それはフダカチャと言って、歌舞音曲を奏する舞台に使う幕のことである。

昔は文章も歌詞も、表記法で濁点をうたなかったから、フダカチャという言葉も、書く時にはフタカチャと書いたのである。

平家物語に「汝は源氏の大将」と言うのを、濁点をつけないかなで「なむしはけむしのたいしやう」と書いてあるから、そのまま読んだという笑い話がある。

フダカチャもそれと同じく、フタカチャと読んだがために、とんでもないこじつけ説が生まれたのである。しからば幕のことを何故フダカチャと言ったか。それは明日の紙上に説明することにする。

かれよしの歌　二十三

ふたかちゃ（中）

豊なる御代やことしなてをれば
ふたかちやの布どねぶくなたる

太平豊年を祝う時には、歌舞音曲を奏する舞台に、何よりも必要なものは幕である。昔は幕のことをカチャと言っていたが、舞台で使う幕をなぜフダカチャと言ったかというと、元来幕には葬式の場合に使う白一色の幕があり、墓地などで祭りの時に使う黒一色の幕があり、時と場合により幕も異なるものがあったが、歌や三味線に踊りはねをする舞台で使う幕は、白一色でもなければ黒一色でもなく、赤と白と交互に並べて縫った幕で、見物席の方から見ると、フダを並べているように見えたので、フダカチャという名ができたのであろうと思う。非常に華やかな幕で、いろいろの踊りを演ずる舞台では、ぜひともこれが必要であった。

「豊なる御代やことしなてをれば、ふたかちゃの布どねぶくなたる」

これは詠み人しらずの歌であるけれど、多分遊び好きの娘達が、まだふだかちゃの用意ができていないで、あわてているさまを詠んだものと思われる。

意味は極めて明白で、今年は思いもよらず豊年になったのに、舞台で使う幕がまだできていない。遅くなったわ。早く作りましょう、と言うのである。

「みろく代や目の前引きよせてをすが、ふだかちゃの布や織ためわらべ」

これは浮島節で歌われ、前の歌とは反対に、お年寄りが娘達に向かって催促した歌である。みろく代の豊年が、もうすぐ目の前にやって来ているが、歌や三味線に踊りはねして遊ぶ時に使う舞台の幕の布は織ったたか、娘達よ、と言うのである。

踊りはねして遊ぶのは、娘達ばかりが好きではなく、お年寄りも大変好きである。

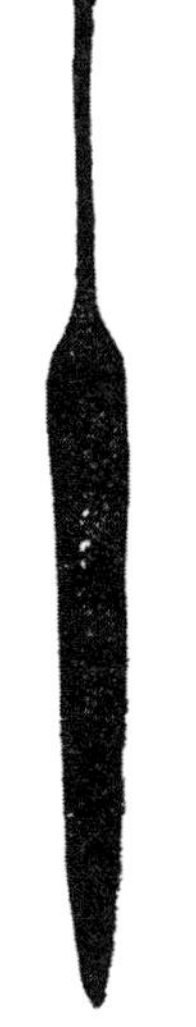

管弦の遊びとなると、娘達よりもむしろお年寄りの方が、指折り数えて待つくらいである。老幼男女貴賎貧富みんなが好きである。

かれよしの歌　二十四
ふたかちゃ（下）

昔ごとんでどいはなしも聞きやる
ふだかちゃの御代にめぐて来ちゃさ

ふたかちゃの歌は、以上三首の他に次のような歌もある。

「昔ごとんでどいはなしも聞きやる、ふだかちゃの御代にめぐて来ちゃさ」

これは仲尾次憲詮という人の歌で、歌舞音曲を奏して豊年を祝ったふだかちゃの御代は、昔あったという話を聞いたが、いまわれわれの時代にも昔と同じような太平豊年のふだかちゃの御代にめぐり合わせてきた。何と喜ばしいことであろう。昔のように歌や三味線に踊りはねして遊びたいという歌である。

ついでに、これと関連していると思われる歌を次にあげてみよう。

「百歳年寄のうち笑ていまいす、おれで世栄のしるしさらめ」

百歳になるお年寄りが、みろくが笑ったようにうち笑って、踊りを見物していらっしゃる姿は、それこそ世栄の象徴のようである。

「お真人やそろて踊りはね遊び、獅子やまりつれて踊り遊ぶ」

天下万民はそろって踊りはね遊びし、獅子はまりとともに踊り遊んでいる。にぎやかな舞台上の光景である。

「豊かなる御代やお真人のまぎり、のはねしち遊ぶことのうれしや」

豊年の御代は、万民がこぞって芸能を尽して遊ぶので、まことにうれしいことである。

「嬉しさやことしよがほ世のしるし、道を行く人も歌ようたて」

嬉しいよがほ世のしるしは、道を行く人も皆楽しそうに歌をうたっている。

「道々のちまた歌うたて遊ぶ、みろく世のよがほ近くなたさ」

あちらこちら道々の往還で、多くの人々が歌をうたって遊んでいる光景は、みろく世が近くなったのを思わせる。

「みろく世の昔くり戻ちをもの、うちよらて遊べ花のわらべ」

昔のみろく世が、いま再びめぐって来ているから、花のごとく美しい娘達よ、寄り合って遊びなさい。

かれよしの歌　二十五

ふたりやる

二人やる間や松の葉に育ち
なまやばしょうの葉も狭くなたさ

詠み人しらず

（意義）若夫婦が二人である間は、松の葉のようなせまいところに暮らしたが、子供達ができて、子孫繁昌すると、芭蕉の葉のような広いところもせまくなった。

（解説）子孫繁昌をうたった歌である。本土では一姫二太郎と言って子供の数はあまり多くは望まず、女の子が一人、男の子二人ぐらいを理想とした。

しかし沖縄では、子供は多ければ多いほど理想とし、名誉とし、誇りとした。

「ジントー、ワラーラン、クワトド、ワラーリール」

銭とは笑うことはできない。子とこそ笑うことができる。つまり富貴よりも子供がいいと言い、

「チュイングワヌ、ヒルガイ」

一人子のひろがり、一人子はあわれであるが、それから子供が沢山できれば何よりも幸福であると言った。金はいくら儲けたかと言う人はいないが、子供はいくたりできたかと問う。

「クワヌ、チューレー、ウヤー、イジン」

子供達が大きくなって、働いて月給を沢山もらうようになると親は楽である。あるいは子供達が事業を起こして成功すると、親としてそれほどの喜びはない。

ちるれん節に、

「子孫そろて願たことかなて、大主の百歳お祝しやべら」

という歌がある。これこそ人生最大幸福とも言うべきものであろう。子孫が沢山寄り集まって、大主すなわち一番上のおじいさんの百歳のお祝いをすると言うから、子や孫が大勢いて、その上長命で、皆がお祝いをするさまは、まことに立派である。

田舎の村芝居では、一番はじめに「長者の大主」という芸題をかかげ、この歌にあるように、大勢の子孫がそろって、老人夫婦の長命を祝する踊りがあった。

かれよしの歌　二十六

よがほ　　　　　　　詠み人しらず

あがり立つ雲やよがほしによくゆり
遊びしによくゆるはたちめやらべ

(意義) ほのぼのと明けかかって来る東の空の雲は、豊年を用意しており、はたち年頃の娘たちは、豊年祝いの遊びを準備している。

(解説) 立雲節で歌うにぎやかな陽気な歌である。大空に浮かんでいる白い雲は、雲ほど人間にいろいろの空想を与えるものはないだろう。雲は、希望を抱かせ、黒い雲は不安を思わせ、夕日にはえる赤い雲は、子供達を喜ばせる。

万葉集に天智天皇がお詠みになった歌が出ている。

「**わだつみの豊旗雲に入日さし、こよいの月夜あきらけくこそ**」

海上に大きい旗のような雲がたなびいて、それに夕日が赤くさしている。きっと今夜の月は美しい名月であろうという意だが、実に雄大さながらその雲の光景を見るような気持ちがする。

南国沖縄は、海も美しいが、空もまた実に美しい。あがり立つ雲が、よがほの世をしによくゆるシンボルと見るのは、いかにも沖縄の詩人らしい。

よがほの世は、人の心も浮き立って、歌も歌いたくなる。尚育王の歌に、

「聞けばうれしや原の人々の、よがほしによくゆる晩の歌声」

というのがある。一日の仕事を終えて、家路に向かう農民達の、のどかな光景である。

それと似たものに、

「うれしさやことしよがほ世のしるし、道を行く人も歌ようたて」

という、小禄按司朝恒の歌がある。いまは道路上で高歌放唱は禁ぜられているけれど、昔は自由でのんびりとしていたものと思われる。

詠み人しらずの歌に、

「見ればうれしさやよがほ世の稲の、うちなびきなびききよらさ」

という歌があるが、これは豊作の実景をうたったものである。

○

いきやすしゅがやなれぬ磯端に
朝夕さも波の音声聞きゆて

真喜屋実珍

（意義）どうして暮らそうか、なれない磯端で朝も晩も波のさびしい音ばかり聞いて。

（解説）旅行をして、一泊か二泊ぐらい海岸の旅舘に、波の音を聞きながら寝るのは、ちょっと乙（おつ）なものである。

しかし故郷を遠く離れて、永久に慣れぬ磯端に住んで、昼も夜も波の音ばかり聞いて暮らすということになると、これはそのさびしさが思いやられる。

組踊「花売の縁」の主人公森川之子が、磯端の浜宿りにわび住居して、「あばらやに月やもる、雨や降らねども我袖ぬらち」と嘆じたのが思い出される。

○

行けやう行かえんで言ちど出ぢたすが、なれし面影の後ひきゆさ

渡嘉敷通睦

（意義）家を出る時は、送る者も簡単に、行っていらっしゃいと言い、送られる者もまたあっさりと、行って来るよと言って別れたが、さて長い旅が続くと、慣れ親しんだ面影に後ろ髪を引かれる心地がして、足もにぶりがちになるものだ。

（解説）作者は尚家の侍医で、医者渡嘉敷と言われて有名であった。漢方医であった。明治時代になってからは、金城紀光先生が尚家の侍医になった。日進月歩の世になると、医者も漢方医より蘭方医の方が、重用される形になった。

蘭方医には「大和医者」と言い、漢方医には「沖縄医者」と言っていたが、面白いのは、大和医者は大和風の呼び方をし、沖縄医者は沖縄風の呼び方をしていた。たとえば当間重禄という蘭方医には当間さんと言い、渡嘉敷とか真喜屋とかいう沖縄医者はさんという敬称をつけなかった。

しかし内科の薬は、丸薬や煎薬など漢方の薬が重宝がられた。

○

いづれかれよしに沖縄さきいまうち
嬉しゃわが宿に語て給うれ

祝嶺親方

（意義）皆さん方めでたく沖縄にお帰りになったら、私も旅先で楽しく暮らしていることを、私の家に語って下さい。

（解説）いづれは皆、すべての意。わが宿はわが家の意。

この歌は支那に使した進貢船が役を果たして、支那を出発しようとした時、後に残った人が詠んだ歌である。一緒に帰りたいのは山々でありながら、仕事の関係で後に残らねばならなかったのであろうが、その心中は察するに余りがある。

しかし鬼界島に一人永久に取り残された俊寛とは違い、これは立派な大国で、いろいろ楽しい目やうれしい目にも会うのであるから、家族にも悲観しないで、喜んで待っているようにと伝言したのである。

○　　　　　　　　　　　　　今帰仁王子朝敷

沖縄先いかはうれしおとづれや、かれよしの宿に語て聞かさ

（意義）沖縄に行ったら、貴君が達者で立派に役目を果たしていたことをご家族に語って聞かせてあげよう。仕事がすんだら一日も早く帰りなさい。

（解説）この歌は前の歌に対する返しという注はついていないけれど、何となくその趣きがある。同行の一人を残して先に帰るのは、心苦しいが、その代わり帰郷したら、真っ先に貴君の留守宅に行って、旅の様子を詳しく話してやろうという心づかいが見られる。

○　　　　　　　　　　　　　与那原親方良矩

かにもつれなさめ旅の上の空や、眺めゆる月も伽やならぬ

（意義）旅は物憂く辛いものである。月を眺めても慰めとはならない。かえって物思いを増すばかりだ。

（解説）昔、阿倍仲麻呂は、支那に使して故郷に帰ることができないで「天の原ふりさけ見れば春日なる三笠の山に出でし月かも」と詠んで、故郷の奈良をしのんだ。

○

おとづれも聞かぬ見詰らぬあれば
思ひ安まらぬ旅の空や

詠み人しらず

（意義）故郷を出てから一向便りも聞かず、恋しい姿を見つめることもできないので、絶えず不安の思いを抱きながら旅の空で暮らしているのは、まことに辛いものである。

（解説）いまのように電信や電話はもちろん、郵便も自由に出したりもらったりすることのできない昔の旅は、いかばかり心細いものであったかということが想像される。

在原業平が隅田川で、

「名にしおはばいざこと問はむ都鳥、わが思ふ人はありやなしやと」

と詠んだものも、旅の空で故郷のことを思った歌である。

○

金武朝穏

おとづれや絶えて面影やしげく　なれぬ与所島やつらさばかり

（意義）故郷から便りは絶えて何の音沙汰もないが、恋しい面影はかえってしげく眼の前にちらついて、慣れない他郷での暮らしは辛いことばかりだ。

（解説）住めば都ということがあるけれど、与所島はやっぱり与所島で、絶えず故郷のことが思われてならない。その上、故郷に昔なれ親しんだ人がおるとすれば、いよいよ恋しい情や面影はしげくなるばかりだ。

「面影のだいんす立たなおき呉れば、忘れゆる暇もあらなやすが」

という歌もある通り、恋人の面影というものは、忘れようとしても忘れられるものではない。

仲間節の中に、

「思ひ有明けの夜半のつれなさや、なれぬ与所島に居てど知ゆる」

という歌があって、旅のかりねで一番辛いことは、夜半に眼がさめて、ありあけの月を見ることである。

これは与所島、異郷の空にいる者でなければ味わい知ることのできるものではない。それでも再び故郷に帰ることのできる者はよいが、永遠に帰らない者もある。

○

ただ暫しだいんすまどろみもすれば
なれし古里も見ゆらやすが

尚泰侯

（意義）ただちょっとの間でも眠ることができたら、夢に古里を見ることもできるであろうが、眠られぬ夜が続いて、夢さえ見ることはできない。

（解説）明治一二年、琉球藩が廃されて沖縄県となり、それまで琉球王であった身分が侯爵となって、謝恩上京することになった。

自分の代で琉球国が亡び、今まで続いていた王位が、自分を最後として絶えるという羽目に立たされた尚泰侯の胸中は、どんなに苦しいものであったか、おしはかることができる。

この歌は、在京中の歌であろうが、普通の人間が古里を思うような、なまやさしいものではなく、事情が非常に複雑で深刻である。

当時の琉球の政治家は、伊江王子や宜湾朝保などのように、時勢を察知して、明治政府に従順するのも止むを得ないとする者があるかと思えば、他方ではあくまで琉球国を維持すべきであり、そのためには支那の加勢を求むべきであるとして、画策する者があるという有様で、上を下への騒ぎを演じていたのである。

その騒ぎが、明治二七、八年の日清戦争まで続いたが、日本が勝ったので、日本政府への抵抗派の夢もやっと覚めざるを得なくなった。

宜湾朝保は、四面楚歌の中に悶死したのであるが、世の中が太平になって、皆が喜んで君が代を歌うようになった姿を見ては、その霊も漸く安ずることができたであろうと思う。

尚泰侯に似て、それよりももっと悲惨であったのは、尚寧王である。王は薩摩に捕えられて、薩摩で苦しい幾日かを送ったが、その時、

「よかてさめ兄弟や親がなしお傍、我身や与所岸のあらの一粒」

と詠んでいる。あらは白米の中にまじっている籾の類である。王がいかに自分の身を悲観したかがわかる。

○

旅のかり枕寝れば夜夜ごとに
夢や橋かけて無蔵がおそば

詠み人しらず

（意義）旅に出てかり寝の夢を結べば、毎夜のように彼女の傍にいるという夢を見る。夢でなく早く現実に彼女の傍へ行きたい。

（解説）毎夜彼女の夢を見るとは、多分新婚早々に旅に出た者であろう。新婚でなくても非常に相愛の仲の夫婦であろう。今なら新婚旅行とか、あるいは夫婦連れの旅行などできるけれど、昔はそんなことができないで、夫も一人で旅に出て辛い思いをすれば、妻も一人で留守番をしてさびしい思いをせねばならなかった。昔の人は大変損をしたものである。

○

許田親雲上

旅の空やても月やへぢやめらぬ　月に音信よいやりすらな

（意義）旅の空は故郷と遠く離れているけれど、月はへだてているわけではない。こちらのおとずれを月に伝言したいものだ。

（解説）海山千里離れていてどうすることもできない時でも、月を見れば、ああこの月は先方でも同じく眺めているではないか、しからば一言月にことづてを頼みたいものだと思うのは、昔も今も変わらぬ不思議な感情である。

○

詠み人しらず

旅や浜宿り草の葉ど枕、寝ても忘らぬわやのおそば

（意義）旅は浜宿りをして、草の葉を枕にして寝るが、寝ても忘れられぬものは温かいわが親の傍だ。

（解説）有名な浜千鳥節で、大抵の人は知っているし、歌うこともできるであろう。代表的な望郷の歌である。しかし、今東京に来ている遊学生達は、新流行の歌謡曲などは歌っても、この浜千鳥節は知らないかも知れない。昔の遊学生はさびしくなると、神田の神保町あたりに出て、電車の音と争って、大声を張りあげて「旅や浜宿り」を歌ったものである。女学生も涙を流しながらこの歌を歌ったという話をしていた。

○

月の夜になれば変て覚出しゅさ
なれし古里の遊びどころ

護得久朝常

（意義）月夜になると、特に思い出されるのは、故郷の月夜に遊んだ所のことである。

（解説）首里で月夜に遊んだ所と言えば、弁財天池の周辺から、竜潭のほとり、観音堂、あや門大道、雨乞いばんた、上の毛、天王寺前、蓮小池などであった。

師範学校の出来ない前は、国学の跡から松崎のあたり、ハンタン山から園比屋武御嶽の前の一帯が、遊び所として最も面白かったであろうと思う。

月が非常に美しく、強く心をひかれたのは、首里城の上に出た月と、虎頭山の松林の上にかかった月であったが、いまはその光景を見ることはできないようになったらしいのは、惜しいことである。

○月も眺めればなれし古里の　面影どまさる旅の空や

佐久本嗣順

（意義）旅の空で月を眺めると、住みなれし故郷の面影がますばかりで、帰心矢の如くなる。

（解説）月ほど不思議なものはない。故郷のことを思えといって照らしているのではないが、月を見れば自然に故郷のことが思われて仕方がない。

唐の詩人は「頭をあげて山月を望み、頭をたれて故郷を想う」と吟じ、大和の歌人は「月見れば古里恋しかきくもり、雨も降れかしわびつつも寝む」と歌った。

○月日重なれば年の寄ることも　知りなげな急ぐ旅の空や

詠み人しらず

（意義）月日が重なったら、年の寄るということは知っておりながら、それでも月日がどんどん早く過ぎ去ればよいと思う。故郷に帰る日が早くくるから。

（解説）年は取りたくない。しかし故郷に早く帰るのと遅く帰るのと、どれがよいかといえば、年なんか早く沢山取って、故郷に早く帰りたいという。その気持ちは、他郷で暮らす者にはよくわかる。

○

鳥やちゃうも飛ばぬ渡海やへぢゃめとて
夢のふれものやおそばともて

詠み人しらず

（意義）鳥も通わぬ海を遠くへだてておりながら、馬鹿らしい夢は恋人のそばにいると見たりするよ。

（解説）ふれものは気違いという意で、気がふれるという語のあるのを見ると、これは本土の古語と共通するものと思われる。

しかしその意味は、時と場合によって、気違いの外に、馬鹿正直とか、正気を失っている者とか、馬鹿らしいことをする者とか、いろいろある。「夢のふれもの」と言うけれど、夢ほど重宝なものはない。鳥も通わぬ遠い海の彼方は言うまでもなく、死んだ人が行っているあの世にも、行ったり来たりして、自由自在に会ったり話をしたりすることができるのだ。実にありがたいと言わねばならぬ。

○　宜保親方

なれし面影や旅までもつれて、夜々に手枕の夢のしげさ

（意義）朝夕なれ親しんだ面影は旅までも一緒に来て、夜毎に手枕をとりかわしている夢をひんぱんに見る。

（解説）恋人は故郷に残して来たが、その面影はいつも一緒につれとなり、夜は互いに手枕し合って寝ているという夢を見る。

その夢はありがたいが、さめて後の失望落胆、さびしさやるせなさ、これもまた何ともかんとも言いようのないものだ。

○　金武朝芳

なれぬ与所島やここてるさあもの　ひまびまやいまうち語てたばうれ

（意義）なれぬ他郷はさびしいものだから、おひまの時はいらっしゃって話して下さい。

（解説）与所島は与所の島と言うのでなく、他村という意。この歌は田舎の村に旅をした時、その村に知人がいたので、その知人に時々遊びに来てくれと言ったものである。首里人は昔から、地方の至る所に散らばって行っていたものとみえる。

○

ひとりまるねの旅宿に
思いつくさらぬあかしかねて

詠み人しらず

（意義）ひとりねの旅宿というものは、いろいろの思いがあとからあとから果てしなく続いて、夜をあかしかねる。

（解説）この歌は七五八六の二六文字になって普通の三〇字の歌とは違う。こういう体裁の歌を仲風節と言う。仲風節には「かたりたやかたりたや月の山の端にかかるまでも」というように、五五八六の二四文字の形の歌もあって一様でない。

さて一人寝と言うものは、旅の一夜でさえ、そのようにさびしくて耐えられないものであるのに、これがもしも妻かあるいは夫かの片一方を失って、永久にひとりまるねということになったら、どんなであろうか。

それを思って、私は男でも女でもヤグサメになっている人をこの上なく哀れに思うのである。

○

無蔵おそばともて夢にすかされて　さめてつれなさや旅のかり寝

岡本袋嶺

(意義) 彼女のそばに寝ているという夢を見て、とてもいい気持ちになっていたら、さめて見るとただ一人旅のかり寝をしていたのであった。

(解説) 無蔵というのは当て字であって、本当は「ンゾーサン」という可愛らしいの意味の言葉から来たものであろう。ンゾと発音しても「むざう」と書くべきものと思うが、これは他の機会に詳しく論じてみたい。

さて夢には恋人のそばに寝ていると見て、大変喜んでいたところ、覚めて見たら一人であったということはよくあるものだ。これが会おうと思えば、いつでも会えるというのでなく、遠く旅に出て、そういう夢を見た場合は、実にたまらないものである。覚めて後の恋しさ切なさ、やるせなさ、あじきなさ、口にも筆にも言ったり書いたりできるものではない。

○

夜夜に手枕のなれし面影や
誰がつれて呉たが旅の空に

義村王子朝宣

(意義)夜毎夜毎に、恋しい妻の面影を夢に見るが、一体このなれし面影は旅の空までだれがつれて来てくれたのか。

(解説)わが恋しい妻の面影を旅の空までつれて来てくれたのはありがたいが、しかし面影だけでは恨めしい、実物をつれて来てくれたら、どんなにありがたいかわからぬ。

万葉集第十二巻に

「うるはしと思ふわぎもを夢に見て、起きてさぐるになきがさぶしさ」

という詠み人知らずの歌がある。わぎもというのは我妹と書いて妻のことである。これも一人旅のわびしさを歌ったものである。昔は一人旅が多かったが、今は二人旅が多い。

この原稿を書いている時（九月一六日）、朝日新聞に「皇太子さま訪米の旅支度」という記事が出ているが、その中に皇太子さんが、「今度は気が軽いよ」と、山田侍従長に言われたということが書いてある。

昔なら皇太子さんが一人旅をされたであろうが、今度は愛する思無蔵の美智子さんをつれて行かれるから、皇太子さんは手放しで喜んでいらっしゃる。大変ほがらかなお方で、無邪気に正直に喜んでいらっしゃるのは大賛成である。

気が軽いと言われるのには、いろいろのわけがあろう。今度は方々で大歓迎されるであろうが、その時のニュースの焦点は、美智子さんに集まるであろうと思われることがその一つであるらしい。

それからもう一つは、新聞には書いてないけれども、もしも一人旅であったら、思無蔵美智子さんの夢を夜毎夜毎に見て、起きてさぐるになきがさぶしさ、ということになる。それでは大変だが、そういうこともないから、気が軽いどころではなく、大変お楽しいことであろう。

○

知らぬ与所島の野山おりのぼり
里や朝夕さもくりしゃめしゃいら

詠み人しらず

（意義）知らぬ土地の野山をおりたりのぼったり、わが夫は苦労していらっしゃることであろう。

（解説）これは望郷の歌の付録として、家にいる妻が、旅の夫の身を案じたもので、昔の交通機関の不便がしのばれる。

旅をする夫が、望郷の歌をうたえば、家にいる妻は、旅の夫を案ずる想夫恋の歌をうたった。

万葉集巻一に、

「わがせこはいづく行くらむ奥つ藻の、名張の山を今日か越ゆらむ」

という当麻麿の妻の歌がある。せこは夫の意、奥つ藻は名張の枕言葉で、一首の意は、わが愛する夫はどこを歩いているであろう。今日あたりは伊賀国の名張の山を越えて、伊勢路に向かっているであろうか、というのである。

旅に出る夫の身の上を案じて、妻のまごころを表した歌に、

「くらやみよやればしばし待ちめしやうれ、二十日夜の月もやがてとよむ」

というのもある。これは遠く行く場合、あるいは急ぎの場合、夜の明けるまで待てなくて、暗闇に出発しようとする夫を、しばし引きとめた歌である。とよむというのは、名高いという場合と、月が遅くなってから出る場合に言うことがある。ここは後者の場合である。

万葉集巻四に、

「夕闇は路たづたづし月待ちて、行かせわが背子その間にも見む」

という大宅女の歌がある。路たづたづしは、道がわかりにくくて不安心だという意。その間にも見むは、月の出るまで引きとめておいて、その間もあなたの顔を見ていたいという、誠に甘い女らしいこまやかな情を表したもので、傍にいる者はたいていあてられてしまう。

要するに琉装の妻も、大和の妻も、負けず劣らず夫を思う情の深いのは似ていると見える。

あとがきにかえて

もう三〇年ほども前になろうか。故人となられた某琉球文学研究者の蔵書を購入した。『おもろさうし』などの本とともにスクラップブックや研究ノートの様なものもあった。売り物になるものでもないなと判断し、そのまま放置されることとなった。

四〜五年前、再び手にしたスクラップブックに島袋盛敏の「琉歌散歩」を見いだした。琉歌の入門として手頃ではないかと思われた。ただ、当方は文学系にいささか縁遠いこともあって、即出版という方向にはいかなかった。

事情が変わったのは、台湾大学から真境名安興による琉歌全集が刊行されることになったことによる。台湾大学の琉歌全集は、琉歌は勿論のこと、神歌や俗謡までをも含む全四巻の大著で、四年次での刊行の予定となっている。沖縄から池宮正治、大城学、前城淳子、田口惠、石川惠古、大城亜友美の各氏が編集に参加する大規模なもので二〇二〇年二月には第一巻が刊行されている。

台湾大学版『琉歌大観』の刊行を機に翻って見てみると、手頃で信頼のおける琉歌入門のテキストがないことに気づいたのである。『琉歌大観』『琉歌全集』の編纂者として知られている島袋盛敏と、再びスクラップブックを手に、欠落部分を図書館で探し出し、台湾大学典蔵の『琉歌大観』刊行にあわせて本にするならば面白いのでは、と、走り出すこととなったのである。

沖縄タイムスに連載されたのが、一九六〇年といささか古いということと、今の読者には島袋盛敏という存在が少しばかり遠いものになっているのでは、ということを踏まえ、仲程昌徳先生の解題を附することとした。また、文中に小カットを入れたが、このカットは島袋盛敏著『琉球の民謡と舞踊』の中で使用されているものを借用したものである。

榕樹書林では関係する諸先生等のご尽力もあり、この台湾大学典蔵『琉歌大観』の沖縄県内での販売を担うこととなっており、琉歌研究に新しい道を切り開くものと期待されている。そして本書『琉歌散歩』はそれへの入門テキストともなり得ることと思っている。

本書の刊行に際し、島袋盛敏先生のご遺族にご挨拶をしたく連絡先を調べたが、不明のままである。もし、ご存知の方がいらっしゃったら、是非当方までご連絡をいただきたい。

二〇二〇年六月三〇日

（武石和実記）

島袋 盛敏（しまぶくろ・せいびん）

1890 年（明治 23 年）12 月 19 日沖縄首里に生る。沖縄県師範学校卒業。金武、北谷、宜野湾、浦添、伊波の各小学校訓導。文検漢文科合格。沖縄県立第二高等女学校、東京成城学園高等女学校教諭を歴任。
1970 年 1 月逝去。
著書『球陽外伝 遺老説伝訳』『琉球の民謡と舞踊』『沖縄語辞典』
『琉歌大観』『琉歌全集』

仲程 昌徳（なかほど・まさのり）

1943 年 8 月　南洋テニアン島カロリナスに生まれる。
1967 年 3 月　琉球大学文理学部国語国文学科卒業。
1974 年 3 月　法政大学大学院人文科学研究科日本文学専攻修士課程修了。
1973 年 11 月　琉球大学法文学部文学科助手として採用され、以後 2009 年 3 月、定年で退職するまで同大学に勤める。
主要著書『山之口貘―詩とその軌跡』（1975 年、法政大学出版局）を皮切りに沖縄県内外の出版社より多数出版。最新作は『南洋群島の沖縄人たち』（2020、ボーダーインク）

琉 歌 散 歩

ISBN 978-4-89805-222-8　C0095

2020 年 7 月 20 日　印刷
2020 年 7 月 25 日　発行

著　者　島袋　盛敏
解　題　仲程　昌徳
発行者　武石　和実
発行所　㈲ 榕樹書林

〒901-2211 沖縄県宜野湾市宜野湾 3-2-2
TEL. 098-893-4076　FAX. 098-893-6708
E-mail：gajumaru@chive.ocn.ne.jp
郵便振替 00170-1-362904

印刷・製本　㈲でいご印刷　Printed in Ryukyu